Le plus
vieux secret
du monde

Catalogage avant publication de Bibliothèque et Archives nationales du Québec et Bibliothèque et Archives Canada

Fisher, Marc, 1953-
    Le plus vieux secret du monde : petit compagnon du Secret
    Comprend des réf. bibliogr.
    ISBN 978-2-89225-647-5
    1. Succès - Aspect psychologique. 2. Richesse. I. Titre.

BF637.S8F57 2007   158.1   C2007-941475-3

Adresse municipale :
Les éditions Un monde différent
3905, rue Isabelle, bureau 101
Brossard (Québec), Canada
J4Y 2R2
Tél. : 450 656-2660
Téléc. : 450 659-9328
Site Internet : www.unmondedifferent.com
Courriel : info@umd.ca

Adresse postale :
Les éditions Un monde différent
C.P. 51546
Succ. Galeries Taschereau
Greenfield Park (Québec)
J4V 3N8

Dépôts légaux : 3e trimestre 2007
Bibliothèque nationale du Québec
Bibliothèque nationale du Canada
Bibliothèque nationale de France

Conception graphique de la couverture :
OLIVIER LASSER

Photocomposition et mise en pages :
ANDRÉA JOSEPH [PageXpress]

Typographie : New Century Schoolbook 12,6 sur 15 points

ISBN 978-2-89225-647-5
EAN 9782892256475

Nous reconnaissons l'aide financière du gouvernement du Canada par l'entremise du Programme d'aide au développement de l'industrie de l'édition pour nos activités d'édition (PADIÉ).

Gouvernement du Québec – Programme de crédit d'impôt pour l'édition de livres – Gestion SODEC.

Gouvernement du Québec – Programme d'aide à l'édition de la SODEC.

Imprimé au Canada

MARC FISHER

Le plus vieux secret du monde

PETIT COMPAGNON DU *Secret*

UN MONDE ✳ DIFFÉRENT

À Am Rah Rah An

Table des matières

Introduction

« *L*orsqu'il y a un flamboiement d'intérêt général pour une personnalité ou ses œuvres, comme ce fut le cas pour les lecteurs de *La Vie des Maîtres*, on peut être certain qu'il est accompagné par une flamme de Vérité spirituelle. »

Ainsi s'amorce l'esquisse biographique que l'on retrouve aux premières pages de *Ultimes paroles*, de Baird T. Spalding qui, dans son best-seller mondial, *La Vie des Maîtres*, raconte comment, en 1894, avec dix autres scientifiques américains, il s'est rendu aux Indes, au Tibet et au Népal. Il y a découvert une communauté de Maîtres de sagesse, dotés de pouvoirs étonnants, dont le moindre est de ne pas paraître plus âgé que quarante ans, alors qu'ils ont dépassé depuis longtemps la marque des cent ans !

Ainsi pourrait commencer l'introduction du présent ouvrage.

Car le livre *Le Secret*[1], de Rhonda Byrne, a suscité un tel engouement, dès sa parution (comme du reste le DVD qui l'avait précédé), qu'il est certainement accompagné par une flamme de Vérité spirituelle. Une flamme d'autant plus précieuse et nécessaire en notre Âge des Ténèbres où le déclin des religions traditionnelles a laissé un grand vide – et un grand désarroi.

Lors d'un voyage de golf en Floride, en novembre 2006, où je croyais avoir enfin trouvé «le secret» pour soigner ma *drive*[2] malade (je l'ai reperdu ce printemps!) j'ai déniché le livre tout juste sorti des presses, non sans avoir fait chou blanc dans trois librairies, tant les tablettes se dégarnissaient rapidement! Pas étonnant qu'il se soit vendu à plus de cinq millions d'exemplaires en moins d'un an!

Aussitôt j'ai lu mon précieux exemplaire et j'ai été emballé. Voilà un livre qui contenait tous les grands principes spirituels que j'ai tenté bien modestement de défendre dans

---

1. Rhonda Byrne, *Le Secret*, éditions Un monde différent, Brossard, 2007, 240 pages.
2. Coup de départ au golf exécuté avec un bois.

plusieurs de mes ouvrages, entre autres, dans ma populaire série du *Millionnaire*. Bouddha a dit : « Le plus grand cadeau est le cadeau de la vérité. »

Juste un peu plus bas, dans la *hiérarchie des cadeaux*, se trouve, il me semble, un livre, surtout lorsque précisément il contient une flamme de *Vérité spirituelle*.

Alors, comme il m'arrive chaque fois que j'aime un livre, j'en achète plusieurs exemplaires que je donne en cadeau, suivant mon inspiration du moment, à tous ceux à qui il pourra être utile.

Ce qui du reste a failli me valoir des ennuis à l'aéroport, à mon retour, car lorsque le douanier m'a demandé ce que j'avais à déclarer et que j'ai répondu distraitement : « Dix *Secrets*! », il n'a pas trouvé drôle mon humour bien involontaire, et m'a tout de suite demandé de m'expliquer !

La semaine de mon retour, j'ai offert mes dix exemplaires, en insistant auprès de mes amis, parents et partenaires d'affaires pour qu'ils le lisent absolument et… le plus rapidement possible, comme s'il y avait urgence. Quelques jours plus tard, j'ai commencé à recevoir des commentaires. Si la plupart étaient

enthousiastes, voire dithyrambiques, d'autres
étaient sceptiques ou négatifs. Plusieurs mois
plus tard, je continuais de recevoir des commentaires qui continuaient d'être mitigés. Certains
juraient avoir expérimenté scrupuleusement
les principes du *Secret*, avoir patienté et n'avoir
pas obtenu les résultats escomptés.

Comme je crois toujours à la valeur
immense de ces principes, je me suis résolu à
écrire le livre que vous tenez entre vos mains
et qui constitue en quelque sorte le petit compagnon du *Secret*. J'y ai repris en les commentant
les grands principes du best-seller de Rhonda
Byrne, bien sûr, mais j'ai aussi puisé dans ceux
d'un livre que j'avais déjà écrit *Les Principes
spirituels de la richesse*[3] dont vous retrouverez
certains exemples et passages. Je l'ai également
enrichi de plusieurs anecdotes et cas concrets
où le Secret a eu un effet miraculeux, autant
dans la vie professionnelle qu'amoureuse de
ceux qui l'ont expérimenté.

Des exemples incroyables tirés non seulement de ma vie personnelle, mais de celle
d'amis, de lecteurs, de clients, et aussi de grands
de tous les temps, artistes, gens d'affaires, sages

---

3. Marc Fisher, *Les Principes spirituels de la richesse, suivi
   de Le Levier d'or*, éditions Un monde différent, Brossard,
   2005, 192 pages.

légendaires comme Socrate, Charlie Chaplin, Henry Ford, Aristote Onassis, Steven Spielberg, Carl Jung, Benjamin Franklin, Pascal et aussi, fort abondamment, de la vie de Jésus et de Léonard de Vinci.

1

Le Secret et le succès

« J'avais été vendeur de journaux, ouvrier d'imprimerie, fabricant de jouets, souffleur de verre, garçon de courses chez un médecin, etc., mais au milieu de toutes ces aventures professionnelles, (…) je n'avais jamais perdu de vue mon objectif final qui était de devenir comédien. Aussi, entre deux métiers, je cirais mes chaussures, brossais mes vêtements, mettais un col propre et me rendais à l'agence théâtrale Blackmore. »

Celui qui évoque ces émouvants souvenirs de jeunesse, c'est le grand Charlie Chaplin, dans son autobiographie *Ma vie* (p. 89).

Malgré la modestie des petits métiers qu'il devait faire pour vivre, il gardait toujours à l'esprit sa véritable nature, et son véritable but qui était de devenir comédien.

Il ne se voyait pas comme un vendeur de journaux ou un cireur de chaussures, il se voyait comme un comédien. Il ne commettait pas cette erreur que font les gens trop «réalistes» ou plutôt qui ne connaissent pas le Secret.

Vous, la faites-vous?

Oubliez-vous VOTRE rêve?

Gardez-vous constamment en tête le Secret?

Laissez-vous vos circonstances extérieures vous dicter votre conduite et vous faire oublier ce que vous êtes vraiment?

Le jeune Charlie Chaplin faisait «comme si...»

Il ne se laissait pas écraser par les facteurs extérieurs déprimants.

Ce qui le nourrissait, c'était son rêve.

Tel est le Secret.

Un jour, Eschine, un philosophe en herbe, vint trouver le grand Socrate pour devenir son disciple et lui dit: «Je suis un pauvre homme et je n'ai rien à vous offrir, mais je m'offre à vous.»

Et Socrate répliqua: «Ne vois-tu pas que tu m'offres le plus grand de tous les cadeaux?»

Voilà le Secret exprimé différemment.

L'homme, surtout jeune, et qui débute dans la vie, doit se définir non pas en fonction de sa situation matérielle actuelle, mais en fonction de ses ambitions et de ses rêves. Car ce à quoi il pense constamment, il se l'attire inévitablement.

Il ne se laisse pas abattre. Il n'est pas l'esclave des circonstances. Il sait qu'elles peuvent, qu'elles VONT changer, si tant est qu'il garde sa pensée maintenue fermement, «magiquement» sur ce qu'il veut attirer dans sa vie: et non pas sur ce qu'il voit autour de lui, et qui parfois est désolant.

C'est ce qui arriva au génial créateur de Charlot.

Un jour, après qu'il eut persévéré de longs mois et continué avec confiance de frapper à la porte du destin, on cessa *comme par magie* de l'ignorer, on le convoqua à l'agence et lui proposa son premier rôle: «Tout le monde était ravi et on me prodigua des sourires. Que s'était-il passé? *On aurait dit que tout le monde avait brusquement changé,* m'avait pris tendrement dans ses bras et m'avait adopté. (...) Je rentrai en autobus ivre de bonheur. (...) J'avais soudain quitté une vie de pauvreté et j'entrais dans un rêve que je caressais depuis longtemps, un rêve dont ma mère m'avait souvent parlé, qui faisait ses délices. J'allais devenir un acteur! *Tout cela était arrivé si brusquement, de façon si inattendue* (p. 91).»

Cette métamorphose ne vous rappelle-t-elle pas celle du comique homosexuel, dans *Le Secret*, qui, du jour au lendemain, ayant découvert le Secret, cessa de se faire harceler et devint aimé du public?

Malgré vos circonstances extérieures, malgré votre «pauvreté» actuelle, la modestie de vos moyens et de votre métier qui n'est pas encore votre *vrai métier*, celui qui utilisera toutes vos facultés créatrices, celui qui vous passionne, qui vous fait vibrer, et qui, lui seul pourra vous rendre heureux et fortuné, *faites comme s'il n'y avait pas d'obstacles*, comme si votre rêve était... sur le point de se réaliser.

La plupart des gens ne le font pas, ou le font du bout des lèvres si j'ose dire, sans y croire vraiment.

En fait, ils sont de véritables «génies» lorsque vient le temps de voir les obstacles à l'avance, de se trouver des excuses, d'inventer des raisons pour lesquelles ils ne devraient pas se lancer. Parfois, j'ai envie de leur dire: «Vous devriez écrire un livre qui serait un best-seller assuré parce que vous connaissez vraiment le sujet. Le titre? *Les 1001 raisons pour lesquelles je vais échouer!*

Le milliardaire Aristote Onassis lui aussi faisait comme si. Christian Cafarakis, qui était le maître d'hôtel sur le fameux yacht Christina de l'armateur grec, raconte: «Une nuit, je me trouvais sur le pont et je découvris un de ses grands secrets – peut-être la clé de son succès: avant de se rendre à un important rendez-vous d'affaires, Onassis se posait lui-même à voix haute toutes les questions auxquelles il aurait peut-être à répondre. Le soir dont je parle, il se questionna sans relâche pendant deux heures. Il répondait exactement *comme s'il* se trouvait devant un public. Parfois il attendait et réfléchissait avant de répondre, parfois il répondait tout de suite ou prétendait qu'il était furieux. Je me rendis alors compte qu'Onassis était comme un acteur qui répétait son scénario et essayait de prédire ce que les autres acteurs allaient dire.»

En d'autres mots, Onassis utilisait le Secret. Il se représentait à l'avance la rencontre, il la «créait» par l'esprit, de telle sorte qu'elle se déroulerait de manière favorable pour lui.

Un autre qui fit «comme si», c'est mon ami Marc Beaudet. Jugez-en par vous-même. Lorsque Roland Pier prit sa retraite du *Journal de Montréal*[4], après une longue carrière, le poste de caricaturiste attitré devenait vacant, mais il y avait trois cent cinquante candidats.

Marc Beaudet aurait pu se dire: «*Quelles sont mes chances?*» Une sur cinquante? une sur cent? En fait, c'était beaucoup moins encore... Alors, il aurait pu «logiquement» conclure: «Pourquoi moi? Pourquoi perdre mon temps?»

Mais il appliqua le Secret.

Il fit «comme si».

Comme s'il était déjà LE caricaturiste du *Journal*. Qui doit fournir une caricature quotidienne. Oui, chaque jour, PENDANT SEPT MOIS, il envoya «gratuitement» une caricature. Il faisait sans le savoir une triple démonstration. Il montrait à la direction du *Journal*:

---

4. Le plus grand quotidien francophone de l'Amérique.

1. qu'il avait de la régularité, qu'il pouvait produire quotidiennement, inspiré ou pas...

2. qu'il avait du talent...

3. qu'il voulait VRAIMENT le poste...

Il faisait sans le savoir une démonstration encore plus grande : celle de la puissance du Secret.

Au bout d'un mois, impressionné par sa constance, la direction convoqua Marc Beaudet pour savoir qui était ce fou qui submergeait leurs bureaux de magnifiques caricatures. On lui offrit un poste à l'essai. Puis on l'embaucha officiellement. Oui, il avait déniché ce poste prestigieux, improbable, unique : caricaturiste officiel du *Journal de Montréal* !

Trois ans plus tard, en 2006, il recevait le prestigieux prix du meilleur caricaturiste au Concours canadien de journalisme ! Il avait «fait comme si», malgré les «*odds*» comme on dit en anglais, c'est-à-dire malgré ses chances presque nulles, du moins mathématiquement, de réaliser son rêve.

Le jeune Steven Spielberg ne fit pas autrement.

À dix-sept ans, à l'occasion d'une visite guidée au studio de la Universal, il profita d'un arrêt du tramway pour en sauter et s'introduire en catimini dans les studios. C'était là qu'il avait toujours rêvé d'être, sur un plateau de tournage, avec les techniciens, les artisans, les acteurs aussi bien sûr.

Par hasard, il tomba sur un producteur important, Chuck Silvers, qui lui demanda ce qu'il faisait là. Le jeune Spielberg lui parla de sa passion du cinéma, de ses rêves, de ses innombrables projets. Impressionné par son enthousiasme délirant, et aussi par son audace peu commune (il faut du front tout le tour de la tête, comme on dit, pour s'introduire ainsi sans autorisation dans un aussi grand studio), il lui offrit un laissez-passer d'un jour pour revenir à la Universal.

Spielberg n'allait pas rater cette occasion : le lendemain même, portant un costume et une cravate, les cheveux bien coiffés, il se présenta au studio avec à la main une serviette empruntée à son père, qui ne comprenait pas des scripts ou des budgets, comme ceux du cadre qu'il prétendait être, mais simplement... un sandwich et deux tablettes de chocolat !

L'audacieux jeune homme trouva un bureau vide, s'y installa et poussa même l'audace jusqu'à se faire faire une plaque avec son nom pour la mettre sur la porte de «son» bureau. En fait, il devint un *squatter* avant la lettre pendant tout l'été, traînant sur les plateaux, apprenant tout ce qu'il pouvait de la fabrication des films, espérant qu'on lui proposerait un travail, n'importe lequel.

La chose ne se produisit pas. Enfin pas tout de suite, car parfois il faut du temps avant que le Secret opère. Celui qui l'applique n'est pas encore prêt. Ou simplement trop jeune. (Spielberg n'avait que dix-sept ans et mettre des millions dans les mains d'un jeune homme de cet âge, même brillant, semblait un risque trop grand à prendre pour les producteurs). Mais cinq ans plus tard, un nouveau *hasard* lui fit retrouver Chuck Silvers, à qui il remit son premier court métrage. Impressionné, le producteur le remit à Sid Sheinberg, le grand patron de la Universal. La carrière légendaire de Spielberg était lancée!

Il avait «fait comme si». Il avait joué le jeu du succès.

Il avait aussi appliqué ce principe fort simple, et fort logique, comme d'ailleurs Chaplin et des milliers d'autres avant lui que, pour réussir dans un domaine, il faut s'y «faire voir», si je puis dire, il faut être présent physiquement, tenter par tous les moyens de mettre le pied dans la porte même si on commence par un job modeste.

Comment se faire remarquer autrement?

C'est un peu le conseil que donna à un jeune journaliste le grand Aristote Onassis, qui démarra dans la vie avec 350$ empruntés à un oncle et qui allait devenir un des hommes les plus riches de son époque. Lui aussi, à sa manière, faisait comme si, et utilisait le Secret. «Choisissez un style de vie luxueux, recommande-t-il aux débutants. Habitez dans un immeuble luxueux même si vous devez vous contenter du grenier! Vous allez y croiser des gens riches dans le hall et l'ascenseur. Allez dans des cafés élégants même si vous devez vous contenter de siroter la même consommation toute la soirée!»

Un des plus grands êtres à avoir foulé notre terre, le Maître Jésus, Lui aussi utilisait le Secret, et faisait comme si, seulement à un niveau vibratoire encore plus élevé que le commun des mortels.

Par exemple, revoyons ensemble le fameux épisode de la multiplication des pains.

Au désert, Jésus vient de haranguer pendant des heures une foule de cinq mille personnes. Ils sont fatigués, ils ont faim.

Soucieux, les apôtres lui expliquent le problème.

«Maître, où trouver l'argent pour nourrir tous ces hommes?»

Ils ne pouvaient par ailleurs les renvoyer chez eux. Plusieurs habitaient loin et risquaient de défaillir en chemin.

Jésus a alors cette phrase admirable de simplicité et de «logique», si on entend par là, la logique du Secret: «Combien avez-vous de pains?»

Les disciples, atterrés par «l'illogisme» de la question, répondent néanmoins qu'ils ont cinq pains et deux petits poissons.

On est loin du compte en somme. Sauf quand on calcule comme le Maître Jésus. Sauf quand, comme Lui, on connaît et applique le Secret dans sa forme la plus élevée.

Alors, après un des plus beaux silences des Évangiles, Il dit simplement:

«Faites-les asseoir.»

Et Il rompt le pain, Le multiplie et parvient à nourrir la foule de cinq mille personnes.

Quelle incroyable démonstration du Secret!

Depuis que je suis tombé sur ce passage merveilleux de l'Évangile, chaque fois que j'ai un problème, gros ou petit, je me demande tout de suite:

«Combien ai-je de pains?»

Et après avoir fait un bref inventaire de mes ressources, je me dis aussitôt:

«*Faites-les asseoir.*»

Ensuite, je me mets au travail.

À ma modeste échelle bien entendu, parce que je ne suis pas Jésus même s'Il a bien dit que tous les miracles et les prodiges qu'Il a réalisés, les guérisons des infirmes, des aveugles, les résurrections, chaque homme pourrait les réaliser à son tour, et même accomplir des choses plus grandes encore, s'il avait une once de foi véritable: en somme s'il appliquait le Secret dans sa forme la plus sublime.

Ce qui est TRÈS important, ce qui est essentiel, pour avoir du succès, peu importe le domaine, c'est de comprendre que, l'ingestion (même involontaire, même accidentelle) d'une flasque de vodka vous enivrera même si vous étiez persuadé que ce n'était que de l'eau; de même les mécanismes du Secret opèrent TOUJOURS dans votre vie QUE VOUS LE SACHIEZ OU NON.

Un ami vint me trouver et m'annonça: «Je ne travaille plus à la compagnie Soda... (nom fictif).

– Félicitations! m'empressai-je de lui dire.

– Mais pourquoi me félicites-tu! J'ai été congédié!

– Ah, je vois... je croyais que tu avais toi-même quitté ton emploi et que tu t'étais trouvé autre chose. Et je te félicitais parce que depuis trois ans tu me dis que tu détestes ton travail, que ton patron est un despote et que tes collègues sont tous stupides! Donc, je croyais que tu m'annonçais une bonne nouvelle.

Il pencha la tête.

Il venait de percevoir le début d'une vérité spirituelle, le Secret en somme.

La Vie lui avait envoyé ce qu'il lui avait demandé. Ses pensées constantes s'étaient matérialisées. Car sans le dire mais inconsciemment, il souhaitait NE PLUS TRAVAILLER à la compagnie Soda. Pas être congédié, certes. Mais être ailleurs. Donc son souhait sincère s'était réalisé, au fond, mais pas de la manière ni au moment où il l'aurait voulu. Sa haine de cette entreprise lui avait valu la réciproque : soit la haine de cette société à son endroit sous forme d'un congédiement.

Je lui offris un exemplaire du *Secret* et lui suggérai d'en appliquer les principes, de considérer que c'était une bonne chose qui lui était arrivée, et de se concentrer sur le genre d'emploi qu'il souhaitait. Au bout d'un purgatoire de trois mois (dont il profita pour se reposer un peu, car il travaillait depuis 14 ans : ce furent parmi les plus beaux mois de sa vie, m'avoua-t-il !) il trouva *comme par magie* le travail qu'il souhaitait et qui lui convenait bien mieux que le précédent.

Alors, il me concéda que ce qui lui était arrivé était pour le mieux : il s'était attiré deux fois ce qu'il avait désiré. La première inconsciemment : se faire congédier ; la deuxième, *magiquement*, ou «secrètement», ai-je envie de dire, pour trouver l'emploi idéal !

Voici un autre exemple, personnel celui-là, de la magie de «faire comme si».

Ceux qui me connaissent ou qui ont lu mes livres (entre autres, *Le Millionnaire paresseux*[5]) savent que je me suis intéressé à l'immobilier et ai fait, dans les temps libres que me laisse mon métier d'écrivain, l'acquisition de quelques propriétés.

Or un jour, il y a de cela plusieurs années, alors que je repassais pour la cinquième ou la sixième fois devant une propriété qui ne se vendait pas même si elle était sur le marché depuis des mois, ma petite voix intérieure me dit que je devais la visiter.

Je la trouvai bien et demandai à l'agente comment il se faisait qu'elle ne se vendait pas. À 99 000 $ (prix incroyablement bas de l'époque!) elle n'était pas très chère, et elle était propre, bien construite, même s'il y avait au sous-sol des planches de contreplaqué qui cachaient de grands trous au sommet de la fondation : la maison avait été transportée d'un autre endroit, m'expliqua l'agente. Elle haussa les épaules : elle ne savait pas pourquoi elle ne recevait pas d'offres malgré des dizaines de visites. Elle me laissa la fiche technique et je découvris un détail intéressant. Les taxes

---

5. Marc Fisher, *Le Millionnaire paresseux, suivi de L'art d'être toujours en vacances…*, éditions Un monde différent, Brossard, 2006, 240 pages.

municipales étaient beaucoup trop élevées pour une maison de ce prix : c'est ce qui éloignait les acheteurs. Pourquoi étaient-elles si élevées ? Je ne tardai pas à le découvrir grâce à un simple coup de fil à l'hôtel de ville : la maison, même usagée, était taxée comme une maison nouvellement construite.

Je réalisai alors que cette maison, qui avait été transportée, je l'avais déjà vue. Je l'avais vue quelques mois auparavant sur le terrain qui avait servi à la construction d'un centre commercial du quartier. Je me rappelai alors, avec ce genre de frissons sur les bras qui annoncent toujours un bon coup, que l'agente m'avait dit que le propriétaire de la maison était justement l'entrepreneur qui avait construit le centre commercial.

Alors, je me fis le raisonnement suivant : sûrement n'avait-il rien payé pour cette maison. Le propriétaire du centre commercial avait simplement dû lui demander de la transporter ou de la détruire. Ce que la maison lui avait coûté était donc simplement (du moins le supposais-je) le coût de son transport, environ 10 000 $ et celui du terrain, environ 35 000 $, donc au total 45 000 $.

Je me dis que je pouvais donc faire une offre fort basse et que j'avais des chances qu'elle soit acceptée. Même si je ne suis qu'un dilettante en immobilier, avant de me lancer, j'avais lu au moins une vingtaine d'ouvrages sur le sujet, et dans l'un d'eux, un auteur expliquait qu'un des bons trucs pour aider à faire passer une offre basse (j'avais décidé d'offrir 75 000 $) est de faire une offre comptant!

Alors en un *élan de folie*, je décidai d'appliquer le Secret, sans le savoir, de «faire comme si». Oui, de faire comme si j'avais l'argent dans mon compte! Or je n'avais PAS les 75 000 $ que je me proposais d'offrir, j'avais tout au plus une dizaine de milliers de dollars, ayant frénétiquement acheté et rénové depuis des mois. Malgré la folie de ce geste, je fis l'offre, *poussé par une force intérieure.*

Il se passa alors deux choses : la première est que le vendeur, las de garder une maison vide, accepta mon offre. Mais il mit une condition.

Oui, impressionné par mon offre au comptant, et me faisant spontanément confiance, *comme si* j'étais un acheteur très fortuné, il exigea que je reprenne son hypothèque de 69 000 $, car il voulait éviter la lourde pénalité d'usage lorsqu'on brise une hypothèque. J'acceptai bien entendu, ayant peine à dissimuler ma joie, mon étonnement et aussi, je l'avoue... mon

extrême soulagement! Car ça voulait dire que
je n'avais à débourser que 6 000 $ (69 000 $ +
6 000 $ = 75 000 $) pour acheter la maison!
Incroyable, non! Je venais d'acheter une maison 25 000 $ sous le prix demandé en ne débour-
sant qu'une bagatelle!

Bon, comprenez-moi bien, je ne suggère à
aucun lecteur de m'imiter, car je ne veux pas
qu'on me poursuive pour avoir donné des conseils aussi extravagants. Mais je m'empresse
d'ajouter que j'ai connu bien des gens d'affaires
– et d'un calibre bien autre que le mien! – qui
ont fait la même chose, qui ont «fait comme si»
avec une audace que le commun des mortels
trouverait folle, car elle impliquait des millions.

N'est-ce pas, par exemple, ce qu'a précisément fait George Gillett lorsqu'il a acheté le
club de hockey Le Canadien? Au moment de
finaliser l'entente, il a dû avouer qu'il lui man-
quait quelques dollars, soit... 100 malheureux
millions que le propriétaire du Club de l'époque
n'eut d'autre choix que de lui prêter pour éviter
que le *deal* n'avorte in extremis. Cinq ans plus
tard, l'audacieux George Gillet se refinançait
et obtenait 175 millions qui lui permirent non
seulement de rembourser sa dette, mais de se
retrouver avec 75 millions de beaux dollars
dans son compte.

Vous ne brassez peut-être pas des millions, ni même des dizaines de milliers de dollars, mais ne croyez-vous pas que pareils exemples peuvent vous inspirer à «faire comme si», dans votre propre vie, pour obtenir ce que vous voulez comme par magie?

Car chaque homme est un alchimiste à sa manière dans la sphère dans laquelle il évolue: chaque homme peut transformer le plomb en or, multiplier les pains.

Faites comme s'il n'y avait pas d'obstacles!

2

Le Secret et l'argent

«Combien avez-vous de pains?»

Le Maître Jésus demande à ses disciples de faire un inventaire, en somme.

J'appelle cette opération un inventaire magique.

Pourquoi?

Parce que si vous appliquez le Secret, vous vous rendrez compte que vous avez toujours PLUS que vous croyez.

Que vous aussi vous pouvez multiplier vos connaissances, vos relations professionnelles, votre bonheur amoureux, votre situation financière aussi, bien sûr...

D'un dollar, vous faites 100 dollars...

De 100 dollars, vous faites 1000 dollars...

De 1000 dollars, 100 000 $, puis (pourquoi vous arrêter en chemin?) un million: votre premier million!

Rappelez-vous la sensation d'excitation que vous avez éprouvée quand en ressortant vos vêtements d'été pour aller en vacances, vous avez trouvé au fond d'une poche un «vieux» billet froissé de 20 $?

Pensez-y. Vous étiez vraiment content, et pourtant, vous possédiez DÉJÀ ce billet.

Il était à VOUS.

Seulement, vous ne vous en rendiez pas compte, vous l'aviez oublié dans votre poche. Et vous avez fait *par hasard* un inventaire.

Que vous pouvez, que vous devez effectuer VOLONTAIREMENT, DÉLIBÉRÉMENT à tous les niveaux. Suffit de vous arrêter un peu, de faire une pause, dans la «course de rats», cette jungle, qu'est devenue la vie moderne.

Prenez dix minutes, une heure, mieux encore une journée et pensez :

1. à ce que vous possédez DÉJÀ ;

2. à la manière de le transformer, de « multiplier les pains ».

Au lieu de cela, la plupart des gens acceptent de travailler pour 10 $ ou 15 $ ou 50 $ dollars l'heure alors qu'ils valent peut-être 100 $, 200 $ ou même 500 $ l'heure ?

Si vous appliquez le Secret, vous croyez, mieux encore vous VOYEZ avec l'œil de l'esprit, de l'imagination, que vous POUVEZ gagner plus, beaucoup plus.

Comprenez-moi bien, ce n'est même pas une simple question d'orgueil ou de cupidité. C'est simplement que si vous voulez être libre dans la vie, que si vous voulez vous épanouir, être véritablement heureux, il faut que vous fassiez ce que vous aimez, même si vous avez entendu des centaines de fois (par vos parents, vos amis, vos collègues, votre conjoint) que : « DANS LA VIE, ON NE FAIT PAS TOUJOURS CE QU'ON AIME. » Qui a dit cela ? Ceux qui, précisément... ne font pas ce qu'ils aiment dans la vie, et souhaiteraient bien vous entraîner avec eux dans leur déplorable troupeau !

C'est seulement en exerçant votre meilleur talent que vous allez faire votre activité la plus lucrative ET être heureux. C'est une équation MATHÉMATIQUE que peu de gens comprennent, hélas, sauf ceux bien entendu qui appliquent avec succès le Secret.

Remarquez, peu de gens le font, et c'est sans doute pour cette raison que peu de gens deviennent indépendants de fortune et surtout – et c'est encore plus important! – que peu de gens s'épanouissent. Ils ne réalisent pas leur plein potentiel.

Si vous aviez une Porsche entre les mains, qu'il n'y avait pas de limites de vitesse à respecter, comme sur les merveilleuses autoroutes allemandes, les «autobans», vous contenteriez-vous de rouler comme si vous étiez au volant d'une Lada!

Non, parce que vous n'êtes pas stupide, vous voulez vous amuser, rouler un peu, quoi!

Et pourtant, si vous passez votre vie à faire des choses qui ne sont pas à votre niveau de talent, n'est-ce pas ce que vous faites? Et le pire c'est que dans la vie, il n'y a pas de limites de vitesse. Elle est juste dans votre tête, la limite. Imaginez comment vous allez vous amuser quand vous commencerez à vous en servir: pas de la Porsche, mais de votre tête! C'est le Secret.

Pensez à la parabole des talents du *Nouveau Testament*.

Vous la connaissez sans doute comme tout le monde, mais je vous rafraîchis la mémoire parce qu'il y a là-dedans des détails qui vous ont peut-être échappé.

Dans *L'Évangile selon saint Matthieu*, Jésus dit: «En effet, il en va comme d'un homme qui, partant en voyage, appela ses serviteurs et leur confia ses biens. À l'un, il remit cinq talents.»

À l'époque, un talent, c'était une pièce d'argent.

N'est-ce pas amusant et instructif de penser qu'aujourd'hui, si vous voulez avoir dans vos poches beaucoup de «talents», de *dineros*, il faut justement que vous exerciez vos meilleurs... talents?

«À un autre deux, continue Jésus, à un autre un seul, chacun selon ses capacités, puis il partit. Aussitôt celui qui avait reçu les cinq talents s'en alla les faire valoir et en gagna cinq autres. De même, celui des deux talents en gagna deux autres. Mais celui qui n'en avait reçu qu'un seul s'en alla creuser un trou dans la terre et y cacha l'argent de son maître.»

Est-ce que vous n'avez pas le sentiment d'avoir fait comme le dernier serviteur? Réfléchissez. Soyez honnête.

Si vous n'êtes pas certain de la réponse, posez-vous la question de 10 millions de dollars.

«Si demain matin vous gagniez 10 millions, feriez-vous encore ce que vous faites maintenant?»

Ou plutôt ne laisseriez-vous pas tout tomber?

Et si vous laissiez tout tomber, n'est-ce pas parce que vous ne faites pas ce que vous voulez, n'est-ce pas parce que vous avez enterré vos talents?

Cette question, je l'ai posée à plusieurs personnes, et à vrai dire surtout à celles qui me taxaient d'être trop «marcantile» (néologisme dérivé du prénom Marc, vous l'aurez compris!) Ils me disent que je pense trop à l'argent. Moi, je leur pose du tac au tac la question de 10 millions.

La plupart avouent que, nouvellement riches de 10 millions, ils laisseraient tout tomber.

Alors, je me crois autorisé de penser... qu'ils ne travaillent que pour l'argent et qu'ils sont bien plus mercantiles que moi!

Mais revenons à Jésus. On y revient toujours de toute manière, à Lui, ou à quelque autre maître spirituel, car après l'étourdissement des premières années de vie, on réalise que tout le reste n'est que littérature : nous ne sommes que des âmes en pèlerinage sur terre!

Il dit : « Longtemps après arrive le maître de ces serviteurs et il règle ses comptes avec eux. »

Comptabilité céleste, il me semble. Le maître, la Vie, finit toujours par régler ses comptes avec nous...

Voilà le Secret.

« Il félicite les deux premiers, mais le troisième qui n'avait reçu qu'un talent, lui dit : « Maître, je savais que tu es un homme dur : tu moissonnes où tu n'as pas semé, tu ramasses où tu n'as pas répandu, par peur je suis allé cacher ton talent dans la terre, le voici, tu as ton bien. »

Notez les mots décisifs : par peur ! ! !

« Mauvais serviteur timoré, reprend Jésus. Retirez-lui donc son talent et donnez-le à celui qui a les dix talents. Car à tout homme qui a, l'on donnera et il sera dans la surabondance : mais à celui qui n'a pas, même ce qu'il a lui sera retiré. »

Ça veut dire quoi : « À tout homme qui a ? » Il y a des mots qui manquent, on dirait. C'est un paradoxe, au moins apparent, car comment peut-on retirer quelque chose à quelqu'un qui n'a rien ?

Mais si on ajoute par exemple les mots : « À celui qui n'a pas le Secret et surtout ne l'applique pas à son avantage », alors du coup tout s'éclaire, on comprend plus aisément.

Une amie à qui j'avais offert à mon retour de voyage un exemplaire américain du *Secret* le lut et vint me trouver avec un petit sourire en coin.

« C'est beau, cette histoire-là de loi d'attraction, mais c'est de la pensée magique, ça ne marche pas. C'est bon pour les naïfs et les désespérés. En tout cas avec moi, ça ne peut pas marcher, je suis professeure. Et en vertu de notre convention collective, je sais à un dollar près combien je gagnerai l'année prochaine, dans cinq ans, dans dix ans, et même jusqu'au jour de ma retraite, en fait. Tiens, je te le rends ton livre. Je m'excuse mais c'est de la bouillie pour les chats!»

Je ne me laissai pas démonter.

«Écris sur un bout de papier *exactement* combien tu aimerais gagner.

— D'accord», dit-elle non sans une certaine bravade et quasiment certaine de ne pouvoir l'atteindre, «alors, dans ces conditions je ne me gênerai pas, je vais écrire 30 000 $. Tiens, avoua-t-elle, je me régale déjà de la tête que tu vas faire quand, dans 2 ou 3 mois je vais t'annoncer que ça a foiré, ton truc à la con...»

Comme elle gagnait 60 000 $ par année, elle se «votait» pour ainsi dire une augmentation de 50 %»

Pas si mal, et mieux que ce que lui offrait sa convention collective, non?

«Maintenant, je fais quoi?» me demanda-t-elle en posant la plume.

«Maintenant, fais ton inventaire magique. Demande-toi ce que tu as *déjà* au fond de ta poche qui te permettra de gagner ces 30 000 $.»

Son cellulaire sonna, et elle dut s'excuser pour une urgence, comme nous en avons tous aujourd'hui, à telle enseigne que je me demande parfois si nous ne vivons pas tous dans une grande salle... d'urgence! Et en tout cas, c'est souvent là qu'on aboutit à force de courir d'une urgence (imaginaire) à l'autre et de se stresser à propos de tout et de rien.

Parce qu'on a oublié dans ce cauchemar climatisé que la seule véritable urgence était... de vivre!

Deux semaines après notre conversation, je reçus un appel de mon amie institutrice. Elle venait de trouver une idée de génie. Au «fond de sa poche». Elle avait décidé d'imiter un autre professeur qui avait une petite école de rattrapage pour élèves en difficulté. Elle avait passé rapidement quelques coups de fil à des directeurs d'école qu'elle connaissait, fait paraître une petite annonce dans les journaux, loué à bon compte un local et faisait déjà salle comble. Profit anticipé (et plus tard réalisé) 24 000 $!

Bon, d'accord elle avait «échoué», n'avait obtenu que 24 000 $ au lieu des 30 000 $ projetés, mais c'était un «bel» échec, si beau à la vérité, que mon amie était extatique.

«Et puis maintenant, tu y crois au Secret? osai-je lui demander.

– Euh non, je crois plutôt que c'est une simple coïncidence!»

Je n'ai pas voulu argumenter, j'ai plutôt pensé au très beau poème de Margaret Fishback, *Des pas sur le sable*, que vous connaissez peut-être.

Une nuit, elle rêva qu'elle marchait sur la plage avec Jésus à ses côtés. Dans le ciel, lui apparurent alors différentes scènes de sa vie.

À chaque scène, il y avait deux séries de traces de pas dans le sable. Une scène pourtant lui apparut où il n'y avait plus que les empreintes d'un seul marcheur. Elle réalisa alors que c'était la période la plus sombre de sa vie.

Elle se rebiffa, questionna Jésus. Ne lui avait-il pas promis qu'il marcherait toujours à ses côtés, qu'il la supporterait dans chaque épreuve? Pourquoi l'avait-il abandonnée? «Ma très chère enfant, lui expliqua avec douceur Jésus, lorsqu'il n'y avait plus qu'une trace de pas dans le sable, c'est que je te portais sur mes épaules.»

Ainsi nous portent sur leurs épaules les principes du Secret, bien souvent sans qu'on le sache, et il est vrai que parfois on les découvre seulement quand ça va mal dans notre vie. Puis lorsque tout se replace, lorsque l'abondance et le bonheur reviennent au rendez-vous, on oublie qu'on le doit au Secret, qu'il nous a porté silencieusement, fidèlement sur ses épaules, et on retombe dans nos vielles habitudes, on se remet le cou dans le carcan de l'homme ancien. Avec toutes ses peurs, toutes ses petitesses.

Voici un autre exemple, qui montre que, lorsqu'on se laisse guider par le Secret, parfois la persévérance consiste à... ne pas persévérer.

L'été dernier, je me suis retrouvé avec une maison vide, à Beaconsfield, une charmante localité de l'Ouest de Montréal. Mon locataire avait quitté les lieux, et malgré tous mes efforts, je ne parvenais pas à la relouer. Embêtant. Je l'avais pourtant rénovée à assez grands frais, j'avais moi-même planté des fleurs, à la porte, mis des lettres d'or pour faire briller l'adresse. J'avais en somme appliqué à la lettre la loi de l'attraction. Rien n'y faisait. Mon courtier d'assurance me menaçait de ne plus m'assurer. Si vous avez lu un de mes livres (ou tous mes livres!) ou entendu une de mes conférences, vous savez que je suis plutôt du genre optimiste.

Alors, au lieu de me décourager ou de broyer du noir, je me suis dit : «*Ma persévérance serait-elle erronée, voire stupide ? Que veut me dire la Vie, que dois-je comprendre ? Que veut me montrer mon bon génie, quelle occasion de profit m'indique-t-il ainsi que je ne vois pas encore... parce que je m'acharne à vouloir louer cette maison ?*»

Ou si vous préférez : «Quel est le trésor caché dans cette circonstance (immobilière) de ma vie ?»

La réponse me vint, comme souvent, un matin, au réveil, et il me sembla que j'avais sans doute été visité dans mes songes par «petit maître» qui me conseille nuitamment.

«*C'est le temps de vendre !*» me dis-je. Et le jour même je plantais une enseigne devant la maison, un peu à regret, il est vrai, car c'était ma première maison, achetée il y a 15 ans...

Un couple se présente, la visite, la trouve charmante, mais estime que je demande cher. Le contraire ne m'est jamais arrivé en 15 ans ! Je ne sais pas pourquoi !

Je me rappelle alors un détail (capital) que j'avais oublié, ce qui est normal, car je l'avais appris 15 ans plus tôt. À Beaconsfield, la grandeur minimum d'un terrain est de 650 mètres carrés. Mon terrain a 1250 mètres carrés. En rachetant 50 mètres carrés à ma voisine, j'aurais alors 1300 m² et je pourrais... subdiviser mon terrain en deux (c'est un terrain en coin), et vendre une partie de ma cour arrière.

J'explique l'astuce à l'acheteur, mais comme il est russe, (et que mon russe se limite à *niet* et *vodka*) et que son anglais est à tout le moins approximatif, il trouve la chose un peu compliquée. Moi je la trouve si simple que je me frappe le front et décide de le... faire moi-même !

Un mois plus tard, la parcelle de terrain manquante est rachetée à ma voisine pour 6000 $, il m'en coûte 2500 $ d'arpentage, et aussi, surprise désagréable, 15 000 $ de frais de parc, mais... j'ai une offre d'achat acceptée de 115 000 $ pour le terrain !

Mais en plus, j'ai un bonus. Parce que ma petite nostalgie de devoir vendre la maison est guérie comme par miracle une semaine plus tard. Je reçois en effet un appel d'un couple d'Ottawa qui doit absolument déménager le week-end suivant. Ils visitent la maison, l'adorent, et signent le bail séance tenante. Je garde la maison ET je fais un profit juteux ! Demandez et vous recevrez ! En plus, deux agents m'assurent que la maison n'a perdu que

20 000 $ de sa valeur malgré la diminution du terrain! Va savoir pourquoi!

Voilà un exemple incroyable du Secret et de ses voies mystérieuses, car il est évident que j'ai bien fait de ne pas m'acharner, d'autant plus que j'ai fini par louer la maison après avoir engrangé un profit plus que sympathique. Je ne vous dis pas ça pour me vanter de mes bons coups immobiliers, mais parce que je suis persuadé qu'il y a aussi des trésors cachés dans VOTRE cour. Et surtout que vous devriez dès aujourd'hui commencer à les chercher, particulièrement lorsque vous rencontrez trop d'obstacles dans une direction donnée. En ce cas, suivez la recommandation de Fletcher Peacock dans son merveilleux petit livre dont le titre semble d'ailleurs inspiré directement du principe même du Secret: *Arrosez les fleurs..., pas les mauvaises herbes!*

Quand une stratégie ne fonctionne pas, ne vous braquez pas, ne résistez pas: changez de stratégie jusqu'au succès!

Je crois que ceux qui se complaisent dans leurs malheurs, qui arrosent les mauvaises herbes (les problèmes) au lieu d'arroser les fleurs (les solutions) ne croiront hélas jamais au Secret ou pire encore ne le rencontreront pas sur leur chemin, ou s'ils le rencontrent, si vous leur offrez le livre, ils ne le liront pas ou n'y croiront pas et ne l'utiliseront pas sans se rendre compte que ses lois s'appliquent TOUJOURS. De toute manière, mais seulement *à leur insu et à leur détriment* : ils s'attirent des circonstances défavorables parce qu'ils croient que la Vie est ainsi faite et qu'il n'y a rien qu'ils puissent faire pour échapper à leur destin.

Parfois aussi on utilise le Secret, mais on n'obtient pas ce qu'on souhaitait.

Parfois on obtient le contraire.

Mais parfois aussi, c'est une bénédiction.

Pourquoi ?

Parce que le Secret, si nos intentions sont pures et claires, nous a accordé ce qui était *véritablement bien* pour nous, et non pas ce que nous souhaitions.

Parfois le Secret, animé d'une sagesse mystérieuse, vous « aidera » en faisant en sorte que vos projets échouent parce qu'ils vous éloignent du chemin que vous devez suivre.

Ainsi un jour, une femme suppliait maître Philippe, un thaumaturge français, de guérir son fils atteint d'une maladie grave. Le célèbre guérisseur de Lyon, aussi couru que le Frère

André à l'Oratoire Saint-Joseph de Montréal, se montra réticent, ce qui n'était pas dans sa manière. Car il guérissait presque invariablement tous ceux qui se présentaient à lui.

Il expliqua à cette mère éplorée que c'était préférable de *ne pas* procéder à une guérison, de laisser le sort de son fils entre les mains du Destin. Elle insista, désespérée. À nouveau, il la prévint que cette guérison n'était pas souhaitable. Mais comme la dame n'en démordait pas, suppliait, pleurait, il accéda enfin à sa demande, le front soucieux et comme traversé d'un sombre présage. Une semaine après, pourtant, son fils était miraculeusement guéri, mais un an plus tard il assassinait son propre père, le mari de cette pauvre femme !

Aussi ne vous étonnez pas, et surtout ne vous fâchez pas de ne pas toujours recevoir ce que vous avez demandé ou de le recevoir sous une forme différente.

C'est une grâce, c'est le cadeau d'un véritable ami, car c'est un ami spirituel.

Si vos aides invisibles, si les forces qui président au Secret vous avaient donné ce que vous leur demandiez naïvement, dans l'étroitesse de votre conscience actuelle, cela aurait été un cadeau empoisonné. Mais c'est juste avec le temps que vous allez vous en rendre compte.

Il faut toujours que vous utilisiez le Secret pour votre bien certes, mais aussi pour le bien des autres. Sinon vous pourrez quand même obtenir ce que vous voulez, mais sans vous en rendre compte, vous aurez fait de la magie noire.

Bien sûr, vous pouvez en faire, vous êtes libre, mais vous en paierez un jour ou l'autre le prix.

L'autre magie, la blanche, est plus avisée, c'est celle de ceux qui ont des intentions nobles. C'est la bonne manière d'appliquer le Secret.

Alors faites donc régulièrement votre inventaire magique.

Faites-le par exemple à l'occasion du Nouvel An, en même temps que vous prenez vos résolutions pour l'année à venir. Mieux encore, faites-le deux, trois, dix fois par année.

Je suis sûr que ceux qui vont de succès en succès le font constamment, toutes les semaines peut-être et que c'est devenu leur *principal travail*, et en tout cas leur travail le plus lucratif.

Vous pouvez le faire mentalement, mais je crois que c'est plus profitable de le faire par écrit. Répondez par exemple à ces questions : « *Qu'est-ce que je possède déjà ? Qu'est-ce que j'ai acquis depuis six mois, depuis un an ? Quelles personnes ai-je rencontrées ? Quelles connaissances nouvelles ai-je acquises ? Quelles nouvelles manières de gagner plus en moins de temps ai-je découvertes ? Comment pourrais-je maximiser telle expertise, tel contact ? Comment pourrais-je améliorer mon service, mon produit ? Comment pourrais-je faire mieux connaître mon travail, accroître ma réputation ?* »

N'oubliez pas : vous avez plus que vous ne croyez dans vos tiroirs. BEAUCOUP PLUS. Vous serez étourdi par vos richesses lorsque vous commencerez à en faire régulièrement l'inventaire magique. Voilà le Secret.

Vous n'avez peut-être pas de diplôme officiel, vous n'avez peut-être pas un emploi bien prestigieux pour le moment (comme Chaplin, comme Spielberg) ni beaucoup d'expérience dans le secteur d'activité où vous voulez faire fortune. Vous travaillez peut-être dans un domaine où ce n'est pas facile (« en théorie ») de faire de l'argent, mais ce n'est pas grave. Ce l'était peut-être avant que vous lisiez ce livre, mais maintenant, vous le comprenez, ce ne l'est plus : vous savez faire votre inventaire magique ! Vous êtes ce que vous rêvez, ce que vous pensez, et ce que vous voulez être, vous pouvez l'attirer infailliblement. Appliquez simplement le Secret.

Voici un mode d'emploi fort simple en quatre conseils :

1. Croyez-y malgré des circonstances contraires et difficiles.

2. Restez ouvert, à l'affût, cherchez à flairer la bonne occasion.

3. Faites en sorte d'être d'humeur égale, car les bons génies qui gravitent, à votre insu, dans l'orbite de votre vie, sauront l'apprécier infiniment.

4. Faites la promesse d'être généreux avec tous les (gros) sous que vous gagnerez.

3

Le Secret et l'amour

Ce n'est pas uniquement dans les affaires que le Secret opère, mais aussi dans les affaires… de cœur !

Ainsi, un ami vient me trouver, éploré, révolté.

« Ma femme vient de me quitter et demande le divorce ! Je ne mérite pas ça ! J'ai toujours été un bon mari et un bon père pour mes quatre enfants !… »

Mais à la vérité, il MÉRITAIT ce qui lui arrivait.

Depuis plusieurs années, il ne se comportait pas comme un bon mari, mais comme quelqu'un qui n'était pas marié, car il ne ratait jamais une occasion de sortir en boîte, avait des amourettes à gauche et à droite, mais comme elles demeuraient secrètes, il s'imaginait qu'il était dans son droit, en tout cas qu'il ne faisait rien de mal, car comme il se plaisait à le répéter : « Ce qu'on ne sait pas ne nous fait pas mal. »

Oui, il agissait *comme s'il* était célibataire, comme s'il était un homme seul et cette méthode avait fonctionné (comme toujours), et il se retrouvait… seul ! On récolte toujours ce que l'on sème, et ce n'est pas parce qu'on écrit : « radis » sur une semence de carotte qu'elle va pousser pour autant en radis. Logique en culture maraîchère, non ? Alors pourquoi des semences d'infidélité, de duplicité et au fond de manque de respect de l'autre, en somme de haine, se solderaient-elles par de l'amour et de la fidélité ?

Oui, malgré les cachotteries de mon ami, sa femme, intuitive comme toutes les femmes, avaient senti ses incartades sans n'avoir jamais pu les prouver, et elle avait agi *comme si* elle savait tout, comme si elle l'avait surpris dans les bras d'une autre femme. En le quittant, au fond, elle n'avait fait qu'exercer son droit le plus légitime, car son mari ne l'avait-il pas DÉJÀ quittée, bien avant qu'elle ne pose ce geste qui le révoltait tant?

Lorsqu'on connaît le Secret, et la loi éternelle de la compensation, qu'on appelle aussi loi du retour, *on agit toujours en l'absence de l'autre comme s'il était là*: on ne médit pas contre lui, on ne le trompe pas.

Mais voilà un autre exemple du Secret et de ses mystérieuses applications dans le domaine amoureux.

Une lectrice vint me consulter, désespérée, car son mari l'avait abandonnée pour une autre femme, dont la fortune personnelle pouvait l'aider à relancer ses affaires déclinantes. Larmoyante, elle m'expliquait que c'était injuste, qu'elle aimait son mari, qu'elle ne pouvait vivre sans lui, et que le Secret (qu'elle connaissait et utilisait) ne marchait pas.

Je lui suggérai alors d'utiliser la loi d'attraction de manière plus générale, de NE PAS exiger que son mari lui revienne à tout prix, car la Vie était plus mystérieuse, plus sage, et plus généreuse qu'on ne croyait. Il lui fallait lâcher prise, imaginer une situation amoureuse idéale, *dont son mari ne faisait peut-être pas partie.*

Quelques mois plus tard, lorsque je la revis, j'appris que son ex-mari avait fait une faillite retentissante, qui avait englouti tout l'argent de la femme pour laquelle il l'avait quittée, et qu'il s'était déjà trouvé une nouvelle «victime». Elle, de son côté, filait le parfait bonheur avec un ami que, en une *intuition de génie*, elle avait eu l'idée de rappeler même si elle ne l'avait plus revu depuis son mariage. Son mariage qui, m'avoua-t-elle alors avec une rougeur coupable, n'avait jamais été heureux, car dès le retour de son voyage de noces, elle s'était rendu compte que son mari s'intéressait surtout à elle pour le petit héritage qu'elle avait reçu au décès de son père.

Or, dès qu'il lui avait été impossible de lui emprunter de l'argent (sans d'ailleurs jamais le lui remettre!), car toutes ses affaires échouaient systématiquement, il s'était désintéressé d'elle et avait commencé à la tromper, du moins en avait-elle la certitude, vite confirmée par la suite des événements. Elle éprouvait une certaine gêne, en me faisant ces aveux, car elle comprenait, tout comme moi, que La Vie avait bien fait les choses pour elle malgré un malheur provisoire.

Autant nos actes (et nos pensées aussi, bien sûr) dépourvus d'amour agissent-ils, même en l'absence de l'autre, autant nos pensées bien-veillantes sont-elles aussi agissantes.

Dans *Les Formes Pensées,* Annie Besant et son collaborateur C.W. Leadbeater, écrivent (pp.34-35): «Une pensée pleine d'amour et pleine du désir de protéger, dirigée fortement vers un être bien aimé, crée une forme qui se dirige vers cette personne et demeure dans son aura comme un gardien, comme un bouclier; cette forme pensée cherchera toutes les occasions de se rendre utile, toutes les occasions de protéger et de défendre celui vers qui elle est envoyée. (...) C'est ainsi que nous créons et que nous maintenons auprès de ceux que nous aimons de véritables anges gardiens, et plus d'une mère, priant pour son enfant éloigné, a formé des barrières protectrices autour de lui, bien qu'elle ignore comment ses prières ont été exaucées.»

Et bien des amoureux pourraient dire la même chose, car eux aussi protègent sans le savoir l'être aimé!

Telle est la puissance mystérieuse du Secret!

Le Secret peut aussi nous aider à nous guérir de la jalousie – ou à nous faire comprendre que c'est une maladie pernicieuse.

Dans *Le Succès est à vos ordres*, K.O. Schmidt l'explique de manière lumineuse (p. 73): «La jalousie n'*attire* pas, elle repousse et pousse l'objet de sa méfiance soupçonneuse vers ce que le jaloux voudrait empêcher à tout prix. Suivant une loi psychologique, toute contrainte produit l'effet opposé à celui qui est recherché.»

N'est-ce pas exactement dans le sens même du Secret? Schmidt poursuit ainsi:

«Si tu *aimes* tout simplement ton conjoint et lui gardes ta confiance, tu l'*attires* vers toi, et tu seras bientôt payé d'un amour égal...»

La loi de la compensation, une fois de plus...

«Tant que tu es jaloux, et *même sans l'exprimer ouvertement,* tu inspires à ton partenaire le sentiment qu'il n'est ni libre ni heureux. Ta résistance silencieuse arrête en son âme tout élan d'affection. Ta jalousie le pousse à fuir le foyer parce qu'il cherche, bien que de façon inconsciente, à retrouver le sentiment de sa liberté et de son bonheur perdus. Cette quête prend fin s'il sent que ton amour ne veut pas l'enchaîner, mais seulement le rendre heureux.»

Schmidt dispense aussi des conseils fort utiles pour les querelles conjugales qui ont causé tant de divorces qui auraient pu être évités si les conjoints avaient eu la juste compréhension et avaient connu le Secret. Cédons-lui à nouveau commodément la plume : « Pourquoi les membres d'une même famille se critiquent-ils les uns les autres avec tant d'âpreté ? Le mari pense : *"Si ma femme était moins tatillonne, si elle partageait davantage mes soucis, je serais certainement plus gentil avec elle."* De son côté, elle se dit : *"Si mon mari était un peu plus aimable, plus attentionné, plus tendre, s'il pensait davantage à moi, comme je l'aimerais et comme nous serions plus heureux ensemble !"*

« Tous deux raisonnent mal. (…) Chacun pense que l'autre est un obstacle à son propre bonheur. En réalité, l'obstacle est en lui-même : il lui faut seulement *opérer une conversion dans sa pensée,* changer l'incompréhension, le mécontentement, l'opposition, en compréhension, harmonie, fraternité. L'image idéale de l'autre qu'il porte en lui-même doit être reconstruite avec des traits positifs – et alors, l'entente se *fera d'elle-même.* Le bon côté de l'autre s'affirme, s'il est constamment affirmé. »

En d'autres mots, – et c'est précisément ce que le Secret proclame –, concentrez-vous sur les solutions, pas sur les problèmes, sur les beaux côtés de l'autre, pas sur ses défauts. Comme pourrait dire le *Manager minute* : surprenez votre conjoint en train de faire quelque chose de bien ! Arrosez les fleurs, pas les mauvaises herbes.

Jésus a dit : «Ne faites pas aux autres ce que vous ne voudriez pas qu'ils vous fassent.»

Dans la vie conjugale, on pourrait, je crois, prescrire une variante de cette maxime et dire non pas faites à votre conjoint ce que vous voudriez qu'il vous fasse, mais plutôt : FAITES-LUI CE QU'IL VEUT QUE VOUS LUI FASSIEZ !

On dit que pour comprendre un autre, il faut marcher au moins un kilomètre dans ses souliers. Eh bien, même si votre conjoint porte forcément des souliers qui ne vous conviennent pas au sens propre (à moins de petites fantaisies inavouables, bien entendu !), essayez de faire régulièrement un bout de chemin dans ses souliers, sinon vous risquez de voir vos chemins se séparer. C'est ce que j'appelle le «jogging conjugal», et qui doit faire suite pendant des années à la marche nuptiale !

Le réputé Milton Erickson fut appelé un jour à traiter un patient qui, depuis dix ans, résistait à tous les traitements du personnel d'un hôpital psychiatrique. Cas lourd s'il en était, John Smith se prenait pour... Jésus-Christ!

Au lieu de faire comme tous ses prédécesseurs, de *résister* à cette lubie de son patient, il *fit comme s'il* croyait ce que John Smith prétendait. Il tenta de se mettre non pas dans ses souliers, mais dans... ses pantoufles!

Il tenta d'entrer dans son univers et lui dit: «Bonjour, Jésus. Je m'appelle Milton.»

Il engagea à la vérité un singulier dialogue avec lui, dont voici en gros la substance:

«Si je ne fais pas erreur, Jésus, tu es bon menuisier, comme ton père Joseph?

– Oui, de déclarer un «fou» enchanté de rencontrer enfin quelqu'un qui le comprenait.

– Et si je ne m'abuse, tu aimes aider les autres?

– J'adore.»

Il se trouvait par hasard que des travaux majeurs de menuiserie étaient en cours à la bibliothèque de l'institut psychiatrique. Aussi ne faisant ni un ni deux, Erickson proposa à «Jésus» d'aller aider les menuisiers. Quelques mois plus tard, sans aucun autre traitement, sans aucune médication, les travaux de réfection étaient terminés, et surtout, les menuisiers repartaient avec un nouveau confrère: John Smith!

(Si on me reproche de parler d'un hurluberlu qui se prenait pour Jésus, alors qu'un peu partout dans ce petit livre j'en conseille l'imitation, disons que je m'inspire du divin Platon qui disait que, pour être parfait, tout système philosophique digne de ce nom devait porter en lui le germe de sa propre contradiction!)

Je crois que nous sommes tous un peu comme John Smith – surtout dans les relations amoureuses. Et que lorsqu'un homme dit à une femme qu'il est fou d'elle, il serait plus honnête sans doute s'il se contentait de dire... qu'il est fou! (même chose pour une femme bien sûre).

Je crois que si nous voulons être heureux en ménage, il faut tous être un peu comme Erickson.

Entrer pour ainsi dire dans la folie de l'autre et non pas la nier.

Et espérer sinon qu'il en guérira du moins qu'on pourra s'en accommoder et qu'il pourra mêmement s'accommoder de la nôtre.

Tel est le Secret, qui nous guide dans tous les domaines de la vie.

Et qui souvent nous fait des signes, des clins d'œil parfois à répétition lorsque nous sommes un peu obtus, c'est-à-dire… la plupart du temps !

À une époque, alors que j'avais des réticences à m'engager avec ma compagne actuelle, car je nous trouvais trop dissemblables à trop de chapitres (et les chapitres comptent énormément pour un auteur, vous vous en doutez bien !), je fis un rêve curieux dans lequel je me retrouvai côte à côte avec ma femme devant un miroir.

Et l'image que la glace nous renvoyait était simple, mais lourde de sens. Jugez-en par vous-même. Nous avions chacun notre visage respectif de la vie de veille, mais nos cheveux étaient coiffés de manière absolument identique : séparés d'une raie parfaite sur le côté gauche, et bien lissés, ils étaient en désordre (exactement le même désordre !) de l'autre côté. En me réveillant, je me rappelai ce songe singulier et surtout en compris le sens : nous étions au fond semblables !

Le surlendemain, au dîner, ma nièce de six ans, Florence, assise à la table en notre compagnie, demanda à mon amie : « Est-ce que vous vivez ensemble ?

– Non, Marc ne veut pas.

– T'es juste un con ! » me lança-t-elle du tac au tac.

La vérité – amoureuse – sort de la bouche des enfants !

La vérité – amoureuse – nous est murmurée à l'oreille par le Secret.

4

Le Secret et la chance

$\mathscr{D}$epuis deux semaines, inlassablement, je cherchais à retrouver une citation précise de Peter Deunov, un mystique bulgare, pour compléter un manuscrit promis à un éditeur. Dans ma bibliothèque, je croyais avoir l'ouvrage, en fait j'avais la quasi-certitude de le posséder. Mais ma bibliothèque a deux problèmes, trois en fait. Le premier est que j'ai plus de 3000 livres. Le deuxième est que ces 3000 livres ne sont pas classés dans l'ordre alphabétique. Et le troisième est que, sur plusieurs rayons de ma bibliothèque, il y a… deux rangées de livres! Et j'ai aussi un quatrième problème: c'est que je range des livres... ailleurs que dans ma bibliothèque! Bref, je ne le trouvai pas. Pas plus que je ne le trouvai en librairie où je passai des heures à parcourir en vain les livres de cet auteur.

En bon millionnaire paresseux que je suis, j'ai finalement renoncé à la recherche obstinée de cette citation qui devenait ruineuse : je ne respectais plus ce que j'enseignais, la loi du 20/80, qui me dictait que le manuscrit survivrait sans cette citation. Or, un événement singulier, inattendu, magique, se produisit. La veille de la fête des Pères, je demandai précautionneusement à ma fille de 9 ans si... elle avait acheté un cadeau à son beau papa d'amour! Elle avoua que non mais me dit : «Donne-moi un de tes livres, je vais te faire ton cadeau.»

Quand elle disait : «un de tes livres», elle voulait dire un livre écrit par moi.

Dans un des rayons désordonnés de ma bibliothèque, je pris alors, *tout à fait par hasard*, une vieille édition de *L'Ouverture du cœur* que je lui remis. Le lendemain, ma fille me réveilla avec mon cadeau.

Elle avait annoté avec humour la page couverture. Elle avait rayé mon prénom et écrit le sien (ce qui me gonfla d'une orgueilleuse espérance), elle raya aussi le sept de «traduit en sept langues» pour le remplacer, non sans humour par «traduit en une langue»: quel exploit littéraire! Elle changea le titre pour *L'Ouverture du caca...* et autres petits changements tout aussi adorables.

C'était sans doute un des plus beaux cadeaux que j'avais jamais reçus, car il était unique. Mais ce cadeau en recelait un autre, comme une merveilleuse poupée russe, et c'est souvent le genre de cadeau que nous fait le Secret.

Car une fois seul, en feuilletant le livre, je tombai sur la table des matières, et le titre d'un des chapitres retint mystérieusement mon attention.

Poussé par une force inexplicable, je me rendis tout de suite à ce chapitre et alors, contre toute attente, je retrouvai... la citation que je cherchais depuis des semaines!

Je l'avais déjà utilisée quinze ans plus tôt, et simplement je l'avais oubliée, comme j'avais oublié ce vingt dollars froissé au fond de ma poche de bermuda!!

Pourquoi ma fille m'a-t-elle demandé un livre de moi pour me faire un cadeau?

(D'ailleurs, elle ignorait à quel point ce cadeau serait précieux pour moi!)

Pourquoi ai-je choisi ce livre parmi tous ceux que j'ai écrits?

Pourquoi ai-je été intrigué par le titre d'un de mes propres chapitres?

Appelez ça hasard, synchronicité ou chance si vous voulez, je crois plutôt que c'est tout simplement le Secret, la loi de l'attraction dans une de ses manifestations les plus évidentes.

Il y a quelque temps, j'ai eu un autre exemple de ces «hasards» heureux que nous apporte mystérieusement la Vie lorsqu'on commence à appliquer le Secret en y croyant.

Je n'arrivais pas à placer aux États-Unis la traduction du *Millionnaire paresseux*. Ennuyeux, et ruineux, car je croyais le livre promis à un succès spectaculaire, plus grand à la vérité que celui du *Millionnaire*. Ma petite voix me le disait avec insistance, avec clarté, et comme je lui fais une confiance absolue, je ne pouvais négliger ses conseils, qui du reste ressemblent souvent à des ordres! D'ailleurs, plusieurs pays avaient déjà acheté les droits du *Millionnaire paresseux*, me confirmant la valeur (à tout le moins commerciale) du livre.

Alors, pourquoi les États-Unis n'emboîtaient-ils pas commodément le pas?

Trop occupé sur d'autres fronts, je laissai les choses aller. Je m'impatientais pourtant, pestais en silence, me plaignais aussi ouvertement à ma femme: comment se faisait-il que nous n'avions pas d'offres pour ce livre aux États-Unis? Bon, je me disais: le marché américain est un marché de plus en plus difficile, et puis il y a une pléthore de livres sur le succès. (Je devenais beaucoup trop habile à trouver des excuses, décidément!) Ne valait-il pas mieux tout oublier, et passer au dossier suivant?

Le soir, je feuilletai au hasard *Le Secret*, m'endormis sur la page où le coauteur de la célèbre série *Bouillon de poulet pour l'âme*, Jack Canfield, raconte comment il a commencé à utiliser le Secret en dessinant un billet de 100 000 $ qu'il colla sur le plafond de sa chambre, si bien qu'il pouvait le voir au coucher et au réveil: aide-mémoire simpliste pour certains (surtout ceux qui n'utilisent pas le Secret évidemment!), mais un an plus tard, comme par magie, son intention se réalisait. Il n'avait pas attiré 100 000 $, il est vrai, mais «seulement» selon son aveu hilarant de précision: 92 327 $. Belle erreur, je trouve!

Comme ça avait marché pour 100 000 $, il répéta le stratagème en s'accordant une augmentation substantielle et écrivit 1 000 000 $ sur le nouveau chèque fictif qu'il colla sur le plafond de sa chambre à coucher ! Et ça marcha comme la première fois, et son éditeur lui parapha, en apposant un visage souriant, le premier chèque de droits d'auteur d'un million qu'il n'eût jamais signé !

Je m'endormis donc avec *Le Secret* entre les mains, en me remémorant d'ailleurs cette lointaine journée d'automne où j'avais eu la chance de prononcer une conférence à Montréal devant 10 000 personnes, juste après Jack Canfield (*a tough act to follow*, comme disent les Américains !).

Cette nuit-là, je rêvai à un de mes excentriques professeurs de philosophie à l'université. Dans le songe, il faisait comme il avait coutume de le faire, entre deux exposés, c'est-à-dire vidait bruyamment sa pipe, dans une soucoupe métallique qu'il traînait partout avec lui (on avait encore le droit de fumer à l'époque : imaginez mon âge !), et répétait sa phrase préférée : « Occupez-vous de vos affaires, mais... occupez vous-en ! »

Pourquoi rêvais-je à lui ? Mystérieux, non ?

Je ne pensais JAMAIS à lui depuis que j'avais quitté l'université, c'est-à-dire depuis près de... trente ans!

Comme je ne trouvais pas la réponse, et que ce qui occupait surtout ma pensée était mon premier (et seul) café matinal accompagné de mon incontournable toast au beurre d'arachide, je marchai vers la cuisine en me disant que, de toute manière, les rêves ne voulaient souvent rien dire, n'en déplaise à ce pauvre Freud; sauf bien entendu quand on rêvait à une femme, surtout si cette femme n'était pas notre femme et alors pas besoin de Freud, mais plutôt d'un bon psychiatre ou d'un bon... avocat!

Mais à peine ma première bouchée de toast trempée distraitement dans mon café touchait-elle mon palais que j'eus une expérience non pas proustienne, mais mystérieuse.

J'eus bizarrement un *flash* dans lequel je revoyais mon ancien patron, William Hénault, du temps où je travaillais dans une maison d'édition. Avec son drolatique accent belge, il déclarait, comme il faisait chaque fois qu'une affaire qu'il nous avait confiée n'allait pas à son goût: «*I will step into the* dossier.» (Je vais intervenir dans le dossier!) Je ne pensais JAMAIS à mon ancien patron, pas plus qu'à mon ancien professeur d'université. Alors, pourquoi ce *flash*, qui suivait un rêve tout aussi étrange et inexplicable !

Après plusieurs semaines passées en mer, Christophe Colomb, parti à la découverte des Indes, éprouvait de plus en plus de difficultés à soutenir le moral de ses marins épuisés, lorsqu'il aperçut, flottant près de son vaisseau, un rosier sauvage ! C'était le signe que la terre était proche, qu'il verrait bientôt les premières îles voisines de l'Amérique, comme il allait s'en rendre compte plus tard.

Je réalisai alors que ce rêve absurde, que cette réminiscence tout aussi inexplicable était... mon rosier sauvage à moi ! En clair, que si je voulais atteindre l'Amérique, la conquérir ou plutôt en continuer la conquête, car je comptais déjà des publications américaines, il me fallait... «m'occuper de mes affaires», mais pour m'en occuper, il fallait que je *«step into the* dossier» !

Je me frappai le front ! Mais oui, comment n'y avais-je pas pensé avant ?

Il fallait donc que je fasse bouger moi-même les choses. Mais oui car comme disait Aristote : «Si vous ne faites aucune action pour changer la situation, la situation restera la même». Comment n'y avais-je pas pensé plus tôt?

Je me suis mis à réfléchir, non pas pendant quelques jours, ni même quelques heures, mais pendant quelques minutes! J'étais pour ainsi dire *hystérique*, dans le bon sens du mot. Comme disait souvent une bonne amie à moi quand elle voulait absolument obtenir quelque chose et l'obtenir rapidement: «*J'ai fait une tempête dans ma tête!*»

Quand vous mettez dans la même «valise» une intention claire et une grande intensité, une émotion extraordinaire *comme si votre vie même en dépendait* ou que vous sentiez que vous avez juste à tendre la main pour cueillir un million, ça vous prépare à un beau voyage vers le succès, parce que vous avez fait sans le savoir une... tempête dans votre tête! C'est la loi de l'attraction sur le mode de l'éclair et de la foudre, sur le mode TGV: TRÈS GRANDE VITESSE!

Je me suis dit: «*Tiens, je vais faire la même chose au Canada anglais puis aux États-Unis, que j'ai fait, il y a près de vingt ans avec* Le Millionnaire, *que tous les éditeurs montréalais avaient vomi, arguant que personne ne voudrait lire semblable ouvrage. (J'en ai juste vendu deux millions: ils avaient bien raison, ces grands experts de l'édition québécoise!) Je vais le publier à compte d'auteur!»*

Mais millionnaire paresseux dans l'âme, je me dis que je devrais m'associer à un partenaire déjà impliqué dans l'édition. Je pensai à mon bon ami et grand patron des Éditions Un monde différent, Michel Ferron, qui, par un hasard singulier, se trouve être l'éditeur pour la langue française du *Secret,* dont il a vendu plus de 250 000 exemplaires en moins de trois mois au Québec seulement!

Manuscrit anglais et maquette de la couverture «américaine» en main (il faut faire rêver l'autre avec précision et aussi «créer» l'avenir, ce qui est encore la meilleure manière de le prédire sans boule de cristal!), je lui demande d'urgence un rendez-vous qu'il m'accorde pour l'après-midi même. *I like it!* Comme la plupart des hommes à succès que je connais, il est plus disponible que des gens qui ont dix fois moins de chats à fouetter que lui et qui prennent trois jours à nous rappeler, quinze à nous accorder un rendez-vous, peut-être pour nous faire croire – ou se faire croire à eux-mêmes – qu'ils sont importants et occupés!

Mais tout de suite, malgré mon enthousiasme délirant, malgré ma certitude, mon ami éditeur me rabroue. Démarrer une maison d'édition au Canada anglais, (passage obligé avant les É.-U.) m'explique-t-il, est une aventure trop périlleuse... Il l'a déjà examinée, il y a quelques années, et il n'est pas intéressé.

Je suis surpris et déçu de sa réaction.

Une porte se ferme.

Mais une autre s'ouvre immédiatement : c'est le Secret dans sa manifestation la plus éloquente, car il nous est donné ce que l'on souhaite, mais bien souvent d'une manière différente de celle qu'on escomptait et c'est pour cette raison qu'il faut rester souple, ouvert, ne pas se raidir quand une opportunité se présente à nous dans un vêtement un peu différent de celui dont on l'avait affublée dans notre penderie imaginaire.

« Si tu veux », suggère-t-il presque dans la même phrase, « je vais envoyer le manuscrit à l'éditeur américain d'Og Mandino, avec qui je fais affaire... »

L'idée m'enchante !

Et au fond est bien meilleure.

Perfection admirable de la Vie, clin d'œil du Secret.

Je n'aurai pas à investir temps et argent dans l'aventure.

Et puis cet éditeur est bien mieux implanté, bien mieux établi que la jeune maison que j'aurais formée avec Michel Ferron, malgré tout notre bon vouloir...

En outre, en un «hasard» magique, cet éditeur vit à Hollywood, pas en Californie, mais en Floride, à deux pas de l'endroit où je dois aller en vacances deux semaines plus tard!

Où je vais d'ailleurs.

Par une autre coïncidence amusante, l'éditeur me fixe rendez-vous au restaurant où je vais souvent à Fort Lauderdale, sur le boulevard Las Olas, le *Cheesecake Factory*!

Et là, devant un verre de Chardonnay, l'affaire se conclut le plus simplement du monde.

Et l'éditeur est tellement excité qu'il veut publier le livre dès septembre 2007 et est persuadé d'en vendre au moins 500 000!

Aide-toi et... le Secret t'aidera!

Un autre exemple, plus singulier encore:

En 1887, l'aventurier russe, Nicholas Notovitch, explorait avec éblouissement le

Cachemire lorsqu'il entendit parler de vieilles légendes au sujet d'un sage nommé Issa. Plus il entendait d'histoires merveilleuses à son sujet, plus il se convainquait que ce mystérieux saint n'était autre que... Jésus lui-même, seulement avec un nom différent!

Il apprit même qu'existaient, conservés précieusement dans un monastère tibétain près de Ladakh, d'anciens manuscrits relatant sa vie aux Indes, au Népal, au Tibet!

Malgré les dangers que représentait pareille expédition, il partit à la recherche de ce monastère perché au sommet d'une montagne, qu'il trouva, non sans peine. On l'y accueillit avec hospitalité certes, mais on refusa de le laisser voir les fameux manuscrits. Il repartit, fort déçu.

Mais sur le chemin du retour... il se brisa une jambe dans une chute quasi fatale.

Voyant là une occasion inespérée de faire une seconde tentative pour voir les manuscrits (il semblait connaître le Secret!), il demanda à ses guides de le ramener au monastère pour y recevoir les soins appropriés. Là, après des représentations sans fin, on accéda enfin à ses demandes: le lama en chef du monastère lut en présence d'un interprète tous les passages relatifs à la vie de Jésus aux Indes et il put les recopier. (Ses notes furent la base du livre: *La Vie inconnue de Jésus-Christ*.)

Ainsi, comme on dit, la chance se présente souvent sous le déguisement du malheur. Il faut apprendre à voir plus loin que le bout de son nez, à voir avec les yeux de l'esprit: c'est le Secret.

Je ne crois pas en tout cas que les hasards précédemment évoqués soient de simples hasards et je suis sûr qu'il y en a plusieurs qui se sont produits dans votre vie. Pour les multiplier et les voir, appliquez la loi de l'attraction, dont le mode d'emploi pourrait être:

1. faites la demande bien sûr.

2. soyez clair dans votre intention.

(Le langage populaire reflète ce principe sans le savoir lorsqu'il dit: «C'est l'*intention* qui compte!»)

3. cherchez avec confiance

4. restez ouvert et serein lorsque la chose ne vous est pas donnée tout de suite ou lorsqu'elle vous est donnée sous un déguisement inattendu qui semble d'abord malheureux.

Un auteur a dit : «Tu ne me chercherais pas si tu ne m'avais pas déjà trouvé.» Sans doute connaissait-il le Secret sans le savoir !

Donc, entreprenez vos recherches tout de suite, avec à vos côtés les trois sœurs qui plaisent tant à la Vie : la clarté, la persévérance éclairée, et la confiance dans votre succès.

C'est le Secret.

5

Le Secret et le choix de votre carrière

En appliquant le Secret, vous allez vous rendre compte peut-être que vous jouez un jeu dangereux.

Pourquoi?

Parce que vous allez peut-être vous apercevoir que, si vous voulez que tous vos rêves se réalisent, si vous voulez enfin vivre la vie que vous méritez, vous allez être obligé de faire autre chose, je veux dire d'exercer un autre métier. Par exemple, si vous êtes fonctionnaire et que vous voulez vivre sur la Côte d'Azur six mois par année, vous avez un problème. Il faut changer de profession ou laisser tomber son rêve, ce qui serait dommage, non?

Le secret alors, c'est d'appliquer... le Secret!

Je veux dire d'imaginer le genre de vie que vous voulez avoir, et de laisser la Vie vous y conduire.

Mais c'est un beau problème. Car vous pouvez passer en quelque temps de secrétaire à millionnaire, sans avoir à épouser votre patron ou à gagner le gros lot à la loterie!

Vous pouvez passer du jour au lendemain de simple fonctionnaire à chef de votre petite entreprise, parce que vous avez comme par magie obtenu le prêt dont vous aviez besoin pour vous lancer, et surtout parce que vous avez eu le courage de plonger! Vous pouvez passer de chômeur à employé bien rémunéré d'une grande entreprise qui avait justement besoin de quelqu'un dont le profil correspond exactement au vôtre, qui semblait pourtant pâlir de plus en plus après une (pénible) année de chômage!

Oui, comme je disais, appliquer le Secret peut être un jeu dangereux. C'est comme si vous brassiez à nouveau les cartes de votre vie et que vous vous prépariez à une nouvelle donne, avec tous les bouleversements que la chose implique!

Car bien souvent vous vous dites: *«Quel métier choisir?»*

Mais vous vous dites surtout, surtout si vous êtes à vos débuts et à notre époque même un homme de quarante ans, même un homme de cinquante ans est parfois forcé d'en être à ses «débuts»: *«COMMENT choisir ce métier?»*

Il y a plusieurs manières de choisir, et vous pouvez sûrement les trouver en consultant un conseiller en orientation, vous pouvez étudier des livres qui traitent de la question, mais moi je vous dis: *choisissez votre carrière en fonction de l'éternité!*

Si vous agissez comme s'il n'y avait pas d'obstacles, vous agissez aussi, même sans le savoir, comme si la vie était éternelle!

Et elle l'est, c'est assuré!

Comme disait un jour un maître spirituel au sujet de la mort: «Soyez sans crainte, la mort est parfaitement... sécuritaire!»

Oui, lorsqu'on agit comme s'il n'y avait pas d'obstacles, on agit, *sub specie aeternitatis*, magnifique expression latine qui signifie: «dans la perspective de l'éternité...»

Faites une pause dans la course folle (ou trop sage!) de votre vie, laissez votre esprit devenir calme comme l'eau lisse d'un lac au crépuscule. Vous avez sans doute remarqué que ce n'était que lorsque l'eau était calme que vous pouviez voir au fond du lac: c'est la même chose avec vous!

Réfléchissez un instant et demandez-vous:

«Si je vivais ma vie dans la perspective de l'éternité, est-ce que je la vivrais de la même manière? Est-ce que je prendrais les mêmes décisions? Est-ce que, au premier chef, j'aurais la même vie, le même métier que je déteste et qui me ronge, et qui me tue intérieurement à petit feu?»

Sub specie aeternitatis...

J'ai trouvé cette expression dans l'autobiographie de Carl Gustav Jung, intitulée *Ma vie*. Voici ce qu'il écrit (page 225): «J'abandonnai ainsi ma carrière universitaire en pleine conscience. Car tant que je n'aurais pas mené mon expérience à terme, je ne pourrais pas paraître en public...»

Cela fait penser à Démosthène, qui s'était fait raser une moitié du crâne, de manière à ne pas pouvoir reparaître en public tant qu'il n'aurait pas corrigé son horrible bégaie-

ment et ne serait pas devenu un grand ora-
teur!

«Je sentais que ce qui m'arrivait était
quelque chose de grand. Et je tablais sur ce
qui, – *sub specie aeternitatis* – me semblait le
plus important. Je savais que cela remplirait
ma vie, et j'étais prêt, en faveur de ce but, à
toutes les audaces.

«Je sentais que ce qui m'arrivait était
quelque chose de grand...»

Je crois que, dans la vie de chaque être, il y
a pour ainsi dire un rendez-vous avec la grandeur... Et que ce rendez-vous, vous pouvez le
prendre dès aujourd'hui, simplement en com-
mençant à appliquer le Secret.

Vous, avez-vous raté votre rendez-vous
avec la grandeur?

Comprenez-moi bien. Pour moi, la grandeur
ne consiste pas nécessairement dans le fait de
conquérir un pays, de devenir président d'une
grande entreprise ou millionnaire.

Les vraies victoires ne sont pas financières,
loin de là...

Une grande victoire, c'est d'oser vivre son
rêve.

Une grande victoire, c'est de faire ce en quoi on croit vraiment et non pas ce que les autres nous disent de faire.

Une grande victoire, c'est aussi de fort petites choses, mais qui veulent beaucoup dire pour nous.

Je vais vous donner un exemple.

L'autre jour, je revenais du Salon du livre avec ma fille Julia qui m'y avait accompagné patiemment pendant des heures, en fait trois jours d'affilée. Nous étions en voiture, nous longions le fleuve, et à un moment, elle me dit bien simplement :

« La vie est belle, papa ! »

Les larmes me sont montées aux yeux, et je n'ai pu rien dire.

Dans ce monde si dur, si tourmenté, si névrosé, ma fille de six ans me fait la plus belle confidence possible, mieux encore que si elle me dit qu'elle m'aime, ce qui ne me déplaît pas bien sûr, mais ne me procure au fond qu'une satisfaction égoïste...

« La vie est belle, papa ! »

Je ne sais pas ce qu'il adviendra d'elle dans l'avenir (un mot si inquiétant pour tout parent !)

dans le grand monde, mais au moins je me dis qu'à l'âge de ses six ans, éduquée par sa mère et moi, ma fille pouvait dire : « La vie est belle, papa. »

Vous, pouvez-vous le dire, spontanément, sans arrière-pensée, du fond du cœur : « La vie est belle ? »

Voilà pour moi une victoire, en tout cas une victoire de parent, une victoire d'être humain.

Oui, pour moi la grandeur, plus que l'accumulation de richesses, plus que l'obtention de médailles, c'est de... réaliser sa propre grandeur ! Et à mon avis la grandeur d'un être humain est inversement proportionnelle à la distance qu'il y a entre ses rêves et sa vie...

Je veux dire : plus vous êtes près de vos rêves, de la raison pour laquelle vous êtes venu ici, de votre mission, plus vous êtes grand.

Et des millions dans votre compte en banque ne changeront rien à l'opinion que j'ai de vous.

Oui, la grandeur, c'est faire ce pour quoi on est venu ici, c'est agir selon son cœur, et non pas de faire ce que la société ou notre père ou notre conjoint veut qu'on fasse.

«Je savais que cela remplirait ma vie...», dit encore Carl Jung au sujet des recherches qu'il voulait mener sur la psychanalyse, discipline naissante à son époque.

N'est-ce pas ce que vous voulez, que votre vie soit remplie? Et si vous ne faites pas ce que vous voulez, pourquoi vous étonner que votre vie ne soit pas remplie, pourquoi vous étonner d'éprouver un sentiment de vide, d'inutilité, d'absurdité?

«Qu'est-ce que cela signifiait, se demande Jung, que j'aie ou que je n'aie pas été professeur?»

En fonction de l'éternité...

Et vous, demandez-vous, dans votre vie: «*Qu'est-ce que cela signifie que j'aie ou non été... (Mettez ici le métier que vous exercez)?*»

Évidemment, et c'est une bonne nouvelle, certaines personnes sont «à leur place», si je puis me permettre l'expression, ou encore elles pourraient comprendre qu'elles le sont, si elles se tournaient un peu plus souvent vers l'intérieur.

Cédons à nouveau la plume à Carl Jung.

«J'étais même en rage contre le destin. Et je regrettais à beaucoup de points de vue de ne pouvoir me limiter à ce qui était connu et compréhensible. Mais les émotions de cette espèce sont passagères. Au fond elles ne signifient rien. Le reste par contre est important. Et si on se concentre sur ce que veut et dit la personnalité intérieure, la douleur passagère est vite surmontée. Cela je l'ai à nouveau constaté, et non seulement lorsque je renonçai à ma carrière universitaire. »

«Si on se concentre sur ce que veut et dit la personnalité intérieure, la douleur passagère est vite surmontée. »

Vous, vous concentrez-vous sur ce que vous dit votre personnalité intérieure, croyez-vous en la force du Secret ?

Il y eut un moment dans ma vie, j'avais 31 ans, où je me posais des questions similaires. Je travaillais dans l'édition, et à la vérité j'adorais ce métier, mais à un moment je sentais que le temps passait, et que si je voulais vraiment devenir romancier, comme j'en rêvais depuis des années, je devais tenter ma chance, faire le grand saut.

Je me disais : «*Sub specie aeternitas,* qu'est-ce qui est le plus important pour moi ?»

Qu'est-ce qui remplissait le plus ma vie, même si cela ne remplissait pas à ce moment-là mes goussets, loin de là ?

Je devais admettre que c'était écrire. Et qu'est-ce que je souhaiterais voir écrit sur ma pierre tombale? Ci-gît un homme qui a publié 2500 livres?

Ou ci-gît un homme qui a écrit 20 livres qui ont aidé les gens à vivre, les ont divertis, les ont fait rire, pleurer, réfléchir...

Encore une fois, c'était écrire.

Alors, avais-je le choix si je voulais vivre ma vie en fonction de l'éternité?

Évidemment, je m'empresse de préciser que tous ces choix sont hautement personnels, individuels, que ce n'est pas parce que vous décidez de devenir musicien ou chanteur ou médecin, que vous vivez en accord avec votre personnalité intérieure. Votre vocation peut être de devenir conférencier, de partir en mission en Afrique, d'être comptable ou agent immobilier.

Cela, vous seul pouvez le dire, vous seul pouvez dialoguer avec votre personnalité intérieure.

Mais vous DEVEZ le faire, pour l'amour de Dieu.

Pour l'amour de vous-même.

Personne ne peut le faire à votre place.

Personne ne peut se réaliser à votre place.

Personne ne peut être heureux à votre place.

Vous êtes seul dans cette aventure, et si vous n'osez pas vivre vos rêves, si vous n'êtes pas prêt à toutes les audaces, à affronter l'inévitable souffrance passagère, à secouer le confortable carcan de vos vieilles habitudes, votre solitude va devenir un enfer quotidien, une mort lente mais sûre...

Il y a une autre manière de voir les choses *sub specie aeternitatis*. Je m'explique.

On dit souvent qu'il faut vivre chaque jour comme si c'était son dernier jour.

Moi je vous dis que ce n'est pas une bonne idée. Parce que votre dernier jour, vous le passerez probablement sur... votre lit de mort, ou dans le coma, si ce n'est aux soins intensifs !

Et puis même si vous êtes en forme, ce n'est pas bon, ce n'est pas pratique. Parce que si vous savez que c'est votre dernière journée vous allez la passer à pleurer, ou à rédiger votre testament, ou à faire vos adieux. On ne peut pas passer ses journées à faire ses adieux !

Donc, je vous en conjure, ne vivez pas votre vie ainsi, mais ce que vous pouvez faire en revanche, c'est de vivre votre vie comme s'il ne vous restait que cinq ans à vivre.

Vous allez voir la petite métamorphose, la petite révolution qui va s'opérer en vous.

Ça va être votre plan quinquennal spirituel!

Parce que, par exemple, si votre travail vous ennuie mortellement, (mortellement, c'est le bon mot!) vous allez vous dire: «*Non, c'est impossible, c'est intolérable, comme il ne me reste que cinq ans à vivre, je vais trouver autre chose...*»

Et si votre mari ou votre femme vous empêche depuis des années de réaliser vos rêves (ce sont des choses qui arrivent, me suis-je laissé dire!), vous allez raisonner ainsi: «Comme il ne me reste que cinq ans, tu m'excuseras, mon petit chéri d'amour, mais moi j'ai autre chose à faire que de passer ma vie à côté d'un éteignoir ou à jouer les psychiatres!»

Choisissez la «lettre d'adieu» de votre choix!

Parce que vous n'êtes pas pour gâcher les cinq années qui vous restent, non? Vous n'êtes pas assez idiot pour vous faire ça, non? Vous ne feriez pas ça à votre pire ennemi, alors pourquoi le faire à vous-même?

Oui, plus que cinq ans dans votre besace...

C'est bien, je veux dire si on compare à celui qui a seulement trois ans, ou un an. C'est peut-être votre cas sans que vous le sachiez! Mais c'est peu aussi en comparaison de celui qui a (ou croit avoir) toute la vie devant lui.

Comme chaque heure nous paraît tout à coup précieuse lorsqu'on sait que le temps nous est désormais compté!

Alors, vous allez vous dire: «*Je ne gaspillerai pas les cinq dernières années qui me restent à faire ça, surtout pas pour le patron que j'ai! Il est temps que je me consacre à ce qui compte vraiment à mes yeux, peu importe ce qu'il adviendra! Je ne puis plus me permettre le luxe de m'accrocher à ma petite sécurité! De quoi puis-je avoir sérieusement peur désormais puisque dans cinq ans, je tirerai ma révérence de toute manière?*»

Vous allez faire enfin ce que vous avez toujours voulu faire, vivre vos rêves, en vous moquant pour une fois de l'opinion des autres.

De leur opinion négative, je veux dire, car de toute manière elle est presque toujours négative.

Si 90 % de notre cerveau reste inutilisé, on peut dire aussi que 90 % des gens sont négatifs. Y aurait-il un lien... de cause à effet ?

Je vais vous donner un exemple. Entrez le matin au bureau et dites, sur un ton excité :

« Hier, après avoir lu un petit livre de Marc Fisher, j'ai compris : je suis sûr que moi aussi je peux devenir millionnaire ! »

Tout le monde va croire que vous êtes devenu fou.

En tout cas, personne ne va croire ce que vous dites.

Ou, pour mieux dire, ils ne croiront pas que VOUS croyez ce que vous dites.

Parce que c'est... P-O-S-I-T-I-F !

Mais en revanche, arrivez le lendemain et dites :

« Je ne sais pas ce que j'ai aujourd'hui, je suis vraiment déprimé ! »

Personne ne va mettre en doute votre parole, personne ne va penser que vous êtes en train de devenir fou ou que vous ne croyez pas ce que vous dites.

Et secrètement, ça va même leur faire plaisir.

Parce que c'est... négatif et qu'ils peuvent s'identifier à cette rhétorique, à cet état. Ça a du sens pour eux, parce qu'eux-mêmes, hélas, se sentent presque tout le temps comme ça.

Mais peu vous importe maintenant, vous n'avez pas de temps à perdre avec leurs critiques, leurs sarcasmes, leurs doutes. Parce que vous appliquez le Secret. Vous créez les circonstances de votre vie nouvelle.

Vous savez qu'il ne vous reste que peu de temps pour faire ce que vous avez à faire, pour commencer enfin à vivre.

Cinq ans...

Cinq ans, c'est bien. D'accord, ce n'est pas très long quand on y pense, mais c'est quand même assez long pour que vous n'ayez pas envie d'aller les passer au bord de la plage !

Parce que, au bout de trois semaines, vous auriez envie d'être ailleurs, de faire quelque chose qui vous tienne à cœur.

Ce que justement vous allez faire si vous vous imaginez qu'il ne vous reste que cinq ans.

Cinq ans, ça vous laisse le temps de faire des projets à long terme, enfin disons à moyen terme.

Ça vous laisse le temps de ne pas devenir fou et de prendre quand même des vacances.

Ça vous laisse assez de temps en somme pour mener enfin une vie équilibrée, une vie où vous vous respectez parce que vous respectez cette personnalité intérieure dont parlait Jung.

Si je peux vous faire une petite prédiction : ces cinq années seront sans doute les plus belles années de votre vie. Vous ne les regretterez pas, et vous n'aurez même plus peur de la mort.

Savez-vous pourquoi ?

Parce que si vous avez peur de la mort, c'est que vous n'avez pas encore connu le véritable bonheur.

Et comme vous savez au fond de votre cœur que vous y êtes destiné, que c'est votre droit de naissance, ça vous frustre de mourir avant.

Alors que si vous étiez parfaitement heureux, vous ne craindriez plus la mort, parce que vous vivriez dans l'amour véritable. La mort pourrait arriver à n'importe quel moment, vous l'accueillerez avec sérénité. Voilà le Secret, mystérieux et pourtant si simple.

6

Le Secret et la persévérance

Vous avez choisi votre carrière en fonction de l'éternité, vous avez osé ne pas enterrer vos talents, vous vous êtes lancé, comme le guerrier spirituel que vous avez toujours été sans le savoir ; maintenant il ne faut pas vous laisser décourager, il faut faire preuve de persévérance.

Car le succès arrive rarement du jour au lendemain.

Un jour, dans une conférence, une dame m'a demandé ce que je pensais du «lâcher prise».

Je sais que cette attitude a des vertus, que certains acharnements sont indus, qu'il faut parfois faire une pause, remettre les choses entre les mains de Dieu ou de la Vie, et «ne plus y penser» quand on a tout essayé.

Mais a-t-on vraiment tout essayé?

C'est la question que j'aurais envie de poser à bien des gens.

Et je crois souvent connaître la réponse.

C'est NON!

Lorsque j'ai eu complété le manuscrit du *Millionnaire*, dans le modeste appartement de mes débuts, j'étais convaincu que ce serait un livre qui «voyagerait», c'est-à-dire qui serait publié à travers le monde. Intuition folle qui doit étourdir la cervelle de plus d'un débutant, mais à laquelle pourtant je me suis accroché contre vents et marées. Car il m'a fallu essuyer une bonne dizaine de refus, attendre trois ans avant de trouver un agent qui m'ouvrit les portes de l'édition internationale.

Je ne suis évidemment pas le seul auteur débutant à avoir connu les «joies» de l'édition. Richard Bach, c'est connu, a été refusé par dix-sept éditeurs avant d'en trouver un qui daigna «donner la chance au coureur» avec son manuscrit de *Jonathan Livingston, Le Goéland...*

James Redfield a vu son manuscrit *La Prophétie des Andes* refusé par tant d'éditeurs qu'il a dû le publier lui-même. Devant son succès en librairie, le gros éditeur américain Warner Books lui a ensuite racheté les droits pour... un million de dollars!

Oui, quand cette dame m'a demandé aimablement ce que je pensais du lâcher prise, je lui ai répondu:

«Moi en général, je dirais plutôt: "Lâchez... pas!"»

Parce que je trouve qu'il y a quelque chose de dangereux dans cette philosophie du lâcher prise. Ça peut devenir fort commodément l'excuse toute trouvée de ceux qui manquent de colonne vertébrale, des fatalistes, qui remettent tout dans les mains du destin dès le premier obstacle.

Mais en ne lâchant pas, il faut que vous restiez détendu, c'est suprêmement important.

Dans son fascinant petit livre *Le Succès est à vos ordres*, K.O. Schmidt, qui est un véritable pionnier de la loi de l'attraction, comme le fut d'ailleurs Charles Haanel qui, comme l'explique Rhonda Byrne au tout début de son best-seller, fut à l'origine de la phénoménale aventure du *Secret*, K.O. Schmidt, donc, explique, avec un sens psychologique étonnant de profondeur (p. 28): «Toute tension non résolue représente une fatigue sans résultat, une déperdition de force intérieure qui use et vieillit prématurément l'individu, tant en lui-même que dans son aspect extérieur. Par contre, la détente signifie relâchement intérieur, arrêt de cette hémorragie de forces, regain de vigueur et rajeunissement. (Les exercices de détente sont des soins de beauté naturels.) L'homme détendu est aimanté positivement et ATTIRE À LUI CE QU'IL SOUHAITE (c'est moi qui mets en majuscules), alors que l'homme sur-excité, crispé par l'angoisse, est aimanté négativement: IL REPOUSSE CE QU'IL DÉSIRE ET ATTIRE CE QU'IL REDOUTE.»

Détente, donc, qui est la clé pour que le Secret fonctionne efficacement, et est souvent la simple explication à la source des échecs et des frustrations de certains de ses usagers.

D'autres gens, même s'ils sont détendus, se fient trop aveuglément à la chance, ne calculent rien, ne regardent même pas où ils posent le pied, même en montagne, même au bord d'un précipice.

La pensée positive, le Secret, ce n'est pas de traverser la rue les yeux fermés, à moins que vous habitiez dans un village si reculé que vous en êtes le seul habitant!

Le Secret, ce n'est pas de sourire benoîtement et stupidement, même quand on est en train de se noyer, si bien qu'on avale la gorgée d'eau fatale!

Même en appliquant le Secret il faut savoir se relever les manches, mettre la main à la pâte, et en chaque cas faire preuve de persévérance.

Parce que c'est mon expérience que la plupart des gens qui ne réussissent pas, ne réussissent pas justement parce qu'ils ont renoncé trop vite, et que, au contraire, la plupart des gens qui réussissent, réussissent justement (ce n'est pas la seule raison mais il la fallait!) parce qu'ils ont persévéré.

Oui, ils ont continué à se battre, à avancer, à frapper le dragon de l'échec, quand la plupart des gens auraient jeté la serviette bien avant.

Oui, la plupart des gens lâchent trop rapidement. Certains lâchent avant même de commencer, ce sont les champions toute catégorie: ils sont en avance non pas sur leur époque, mais sur leur propre succès, si en avance à la vérité qu'ils ne le connaissent jamais! Ils voulaient se lancer en mars 2005, mais ils ont renoncé en février 2005, juste au dernier moment, le plus stressant! Ils ont *choké*, comme disent les Américains.

Bien des gens renoncent dès le premier obstacle parce qu'ils ne croyaient pas vraiment en eux-mêmes ou en ce qu'ils faisaient, parce que, à la vérité, ils étaient secrètement persuadés que ça ne marcherait pas!

La Vie, comme presque toujours, a confirmé leur certitude, leur croyance. Elle leur a donné raison. Vous étiez *secrètement* (c'est le cas de le dire!) persuadé d'échouer, vous avez échoué: tout n'est-il pas parfait?

Pourquoi êtes-vous contrarié que la Vie vous ait docilement donné raison?

Vous préféreriez qu'elle vous contredise?

La Vie n'est-elle pas qu'un merveilleux et modeste miroir?

Persévérez mais aussi, parfois, j'en conviens, lâchez prise.

À mon avis, c'est surtout dans des situations où de toute manière vous n'y pouvez plus rien.

Supposez par exemple qu'un client refuse de vous payer malgré un service rendu honorablement. Bien entendu, vous pouvez engager des poursuites judiciaires, mais dépenserez-vous 5000$ en frais d'avocat pour recouvrer une dette de 1000$? Ça n'a pas plus de sens que de tenir une réunion de 10 000$ pour prendre une décision de 100$!

Dans cette situation, une fois que vous avez fait tous les efforts raisonnables pour convaincre ce client de vous payer, je crois que c'est effectivement le temps de lâcher prise, avant que ce soit vos nerfs qui vous lâchent!

Votre système nerveux ne vaut-il pas plus que les 1000$ que vous doit ce type?

Et puis je crois qu'au niveau de l'invisible, en n'insistant plus pour être remboursé par ce client malhonnête, vous permettez à la Vie de vous repayer autrement, (au Secret de faire opérer la loi éternelle de la compensation) et, selon mon expérience, elle le fait presque toujours et de manière aussi inattendue qu'agréable.

En vertu d'une comptabilité céleste rigoureuse, votre lâcher prise débloque pour ainsi dire les fonds, et la Vie vous paie rubis sur l'ongle, souvent avec un sympathique intérêt, de surcroît, comme si elle voulait vous remercier de votre patience, de votre bonté.

Voilà du lâcher prise éclairé.

Mais pour le reste, persévérez si du moins vous croyez à 100 % à votre projet, à votre idée.

Et si vous n'y croyez pas à 100 %, pourquoi diable vous êtes-vous lancé dans cette aventure presque condamnée d'avance à échouer?

Oui, persévérez, même si autour de vous on vous suggère d'arrêter, de faire autre chose.

Venise a été pendant des siècles une des premières puissances maritimes européennes, car elle assurait habilement le lucratif passage de marchandises précieuses entre l'Orient et l'Occident.

Dans son remarquable ouvrage *Venise*, Frederic C. Lane raconte (p. 60): «Les succès de Venise s'expliquent par une savante combinaison entre la permanence de ses buts et la grande souplesse des moyens qu'elle employa pour y parvenir.»

Voilà un magnifique exemple de persévérance !

En voici un autre...

En 1974, Sylvester Stallone, fauché, vit à New York et tente de percer comme acteur. Pas évident : il y a des milliers de jeunes loups qui veulent la même chose que lui, problème commun dans les métiers dits artistiques.

On ne lui offre pas de rôle.

Il assiste à un match de boxe, où un boxeur inconnu affronte sans succès le célèbre Muhammad Ali. Une idée germe dans son esprit affamé. (L'adversité est souvent la meilleure génératrice d'idées)!

Comme personne ne lui offre de rôle, il s'en écrira un fait sur mesure. Pris par cette sorte de transe qui s'empare de nous lorsque nous avons le sentiment d'avoir une idée «géniale», il rédige le scénario en trois jours. Il court le porter à son agent.

Ce dernier trouve un studio prêt à payer 20 000 $ pour le scénario. Stallone n'a que 100 $ en poche, ce devrait donc être une bonne nouvelle. Pourtant, l'acteur inconnu refuse les 20 000 $! Il faut le faire, non? Ça prend des couilles, ou en tout cas de la vision, car c'est ce dont Stallone est doté puisqu'il est «atteint» de persévérance éclairée.

Oui, il refuse les 20 000 $! Pas par ruse, parce qu'il veut plus d'argent. Non, il a une idée derrière la tête, ou plutôt dans la tête : il veut jouer le rôle principal.

Le rôle principal ? À quoi pense-t-il ? Il est un parfait inconnu. On l'envoie paître.

Pourtant, comme le scénario est bon, les enchères montent à 80 000 $ et même à 300 000 $, lorsque Robert Redford s'intéresse à cette histoire de boxeur !

Entêté, Stallone décline l'offre. Son agent s'arrache les cheveux et le menace de ne plus le représenter. Mais Stallone tient bon, et finalement, contre toute attente, les studios cèdent devant ce petit David obstiné.

Mais il n'aura pas tout. Il aura le premier rôle certes, mais seulement un maigre salaire de 340 $ par semaine comme acteur. Envolés les 300 000 $! Mais Stallone s'en moque. Il a ce qu'il voulait avoir : le rôle principal.

Le film remporte 3 oscars, et Sylvester Stallone devient l'acteur le mieux payé d'Hollywood !

Persévérance éclairée… et payante !

Mais, me direz-vous, il y a des succès précoces et quasi instantanés.

Par exemple, le cas d'un prodige comme Mozart qui écrivait de magnifiques sonates à cinq ans.

Mais on oublie, par courte vue spirituelle, que la plupart des prodiges, la plupart de ceux qui ont connu un succès fort jeunes s'y sont préparés dans des vies antérieures. En cette vie, ils ne font que récolter le fruit de ce qu'ils ont semé bien avant.

Ils vivent une *existence d'accomplissement*, alors que certaines vies, où les efforts ne sont pas couronnés de succès visible, sont des *existences préparatoires*.

Toute persévérance, pour être souhaitable, doit être éclairée avec deux lanternes : avec *la lanterne contemporaine,* si je puis dire, et avec *la lanterne de l'éternité.*

Par exemple, si quelqu'un me regarde, il n'a pas besoin d'être un génie pour savoir que je ne deviendrai jamais un joueur de football. Je me ferais pulvériser dès que je mettrais les pieds sur le terrain.

Ce serait de la mauvaise persévérance de faire des tentatives dans ce domaine. Ma lanterne contemporaine me permet de comprendre cela aisément.

L'ennui, c'est que bien des professions demandent des qualités invisibles, des qualités intellectuelles ou morales qui ne se voient pas à l'œil nu comme les muscles.

Comme Pascal disait : « Un boiteux, tout le monde sait qu'il boite, même le boiteux le sait, mais la personne dont le jugement est boiteux, elle ne le sait pas, parce que c'est justement son esprit boiteux qui se juge lui-même. »

Et bien entendu, c'est un problème grave.

Parce qu'il y a plein de gens qui ont, en affaires ou en art, ce que j'appelle le « syndrome de Victor Hugo ».

Jeune, Hugo a dit : « Je serai Chateaubriand ou rien du tout ! »

Ça a marché dans son cas. Mais c'était... Victor Hugo ! Ça aidait.

Mais pour beaucoup, semblable promesse est... l'assurance la plus sûre du malheur !

Sauf si...

Sauf si la personne éclaire sa vocation et toute sa vie de la lanterne de l'éternité !

Parce qu'alors elle admet dès le départ qu'il se puisse que, dans son domaine d'élection, son existence ne soit qu'*une existence préparatoire*, qu'en somme elle ne voie les fruits de son succès que bien plus tard, probablement dans une autre vie.

Mais puisqu'elle le sait, elle sourit.

Elle sourit parce qu'elle sait qu'elle a tout son temps, et en même temps elle fait ce qu'elle aime, même si elle n'y connaît pas le succès, banale récompense de la société.

Elle sourit car la lanterne de l'éternité est toujours ouvrière de sérénité.

Car cette lanterne précieuse, aussi précieuse et aussi rare que le contentement, murmure dans l'oreille de celui qui a la sagesse d'en éclairer ses efforts : «Qu'importe que tes efforts ne soient pas tout de suite couronnés de succès, ils le seront, tu le sais, dans une autre vie !»

Et en attendant, vous ne perdez pas votre temps, comme font la plupart des gens, à vous ronger les sangs, vous ne gâchez pas votre estomac avec la bile de l'amertume, parce que vous n'êtes pas frustré.

Vous êtes simplement en train d'apprendre, vous faites patiemment et avec amour votre apprentissage, comme un modeste élève de la Vie.

Éclairant vos efforts avec la lanterne de l'éternité, vous savez que vous avez tout votre temps.

Vous souriez, parce que vous êtes «initié», parce que vous connaissez le Secret.

Et justement, parce que vous avez ce détachement serein, non pas de lâcher prise mais d'avoir tout votre temps, vous allez justement avoir peut-être plus de succès que si vous étiez impatient et frustré.

Parce que la Vie, elle va se dire: «*Ah! Le malheureux, il est heureux même si je lui mets des bâtons dans les roues. L'insuccès ne lui enseigne rien puisqu'il reste parfaitement serein, alors je vais le tester différemment, je vais lui donner du succès, un grand succès même, tant qu'à y être, et on verra bien s'il ne tombera pas dans ses pièges, qui sont innombrables!*»

C'est ce qui risque de vous arriver si vous éclairez tous vos efforts, si vous voyez votre carrière et votre vie avec la lanterne de l'éternité. Vous aurez peut-être des surprises étonnantes, malgré la modestie initiale de vos moyens.

Chopin a dit : « Pour devenir un grand pianiste, croyez que vous pouvez devenir un grand pianiste ! »

Un autre qui connaissait le Secret !

7

Pourquoi le Secret n'a pas marché pour vous – et comment y remédier !

𝒟es millions de gens à travers le monde auront lu *Le Secret*, lorsque vous lirez ces lignes. Vous-même l'aurez sans doute lu. Vous aurez même expérimenté la loi de l'attraction. Et pourtant, vous serez peut-être déçu parce que vous n'aurez pas obtenu les résultats escomptés.

Vous n'avez pas décroché ce nouveau poste que vous convoitiez tant ?

L'homme que vous aimiez ne vous a pas demandé en mariage ?

Ou a refusé de venir vivre avec vous, comme vous le souhaitiez depuis des mois, si ce n'est des années?

Vous continuez d'avoir une relation difficile avec votre fille, votre mère...

Et votre belle-mère, mieux vaut ne même pas en parler!

Vous continuez d'aller d'échecs amoureux en échecs amoureux, malgré toutes les thérapies, tous les soupers de filles que vous vous êtes tapée : vous tombez toujours sur des types qui vous trompent à bras raccourcis, ou vous traitent comme la dernière des dernières!

Vous continuez d'être criblé de dettes – peu importe ce que vous faites, vous ne réussissez jamais à sortir la tête de l'eau...

Alors que faire?

Comment rendre opérationnelle la loi de l'attraction dans votre vie?

Comment surmonter le poids infini de votre inconscient, qui vous traîne toujours vers le bas, vous ramène invariablement à la case départ malgré tous vos efforts?

Pourtant, il vous semble avoir bien appliqué le Secret... En plus, vous y croyez dur comme fer.

C'est que même si vous avez appliqué consciencieusement et régulièrement le Secret, *lorsqu'il y a une contradiction entre votre conscient et votre inconscient, c'est toujours votre inconscient qui l'emporte.*

C'est une loi incontournable.

Par exemple, si vous désirez obtenir une promotion, mais qu'inconsciemment vous sentez que vous ne la méritez pas, eh bien il est probable qu'elle vous échappera et ira à ce collègue qui vous rappelle votre frère aîné qui avait toujours la plus belle part dans votre famille! Et vous répétez peut-être *ad nauseam* ce scénario, vous l'attirez dans les circonstances de votre vie avec une «perfection» hallucinante...

Pour que le Secret marche pour vous, il faut donc que votre conscient et votre inconscient marchent main dans la main pour ainsi dire, qu'il n'y ait pas de contradictions en vous, que vous soyez pour ainsi dire solidaire de vous-même.

Mais comment y arriver, et surtout y arriver rapidement et à coup sûr?

Je crois que la méthode la plus efficace est l'autosuggestion, c'est le *levier d'or* avec lequel vous pouvez soulever votre monde, transformer radicalement votre vie.

J'ai souvent dit mon enthousiasme pour l'autosuggestion.

J'ai même écrit (voir *Le Bonheur et autres mystères*[6]) que si je n'avais qu'une chose à dire, je veux dire sur mon lit de mort, entouré de gens que j'aime, je leur recommanderais, un peu comme mon testament spirituel : « Répétez matin et soir, à voix haute, 50 fois d'affilée, 100 si vous pouvez : « DE JOUR EN JOUR, À TOUT POINT DE VUE, JE VAIS DE MIEUX EN MIEUX. »

C'est la fameuse formule d'Émile Coué.

Il y a, je sais, des centaines de livres qui ont été écrits sur l'autosuggestion, et pourtant, la plupart des gens que je connais ne la pratiquent pas et c'est pour ça que je vous en parle, même si je risque d'être taxé (tiens, encore une autre taxe !) de manque d'originalité.

---

6. Marc Fisher, *Le Bonheur et autres mystères... La Naissance du Millionnaire*, éditions Un monde différent, Brossard, 2000, 192 pages.

Ce n'est pas parce qu'un remède est banal qu'un médecin digne de ce nom se défend de le prescrire à son patient! Je ne suis pas ici pour jouer les originaux (même si je sens bien que j'ai peut-être passé pour un original dans quelques passages de ce livre)! J'écris ce livre pour vous aider, en tout cas pour vous dire ce qui m'a aidé à avoir une vie heureuse et harmonieuse.

Je crois que l'autosuggestion est le viatique le plus utile, le plus facile à utiliser pour notre époque, et c'est lui et lui seul qui peut rendre *parfaitement* opérationnel le Secret.

Je sais qu'il y a des techniques plus avancées de développement spirituel, et vous les rencontrerez probablement un jour ou l'autre. Mais la beauté, avec l'autosuggestion, c'est que vous n'avez même pas besoin d'y croire pour que ça marche, pas plus que vous n'avez besoin de croire en la puissance de l'anesthésie pour vous endormir sur la table d'opération!

Seulement, je ne peux pas répéter la formule à votre place! C'est VOUS qui devez le faire! Tentez l'expérience! Rien de plus facile. Allongez-vous sur votre canapé préféré, dans votre lit ou sur le plancher, dans ce que les yogis appellent la «position du cadavre», détendez-vous, respirez profondément, et répétez: «DE

JOUR EN JOUR, À TOUT POINT DE VUE, JE VAIS DE MIEUX EN MIEUX.»

Ça prend un peu de temps pour ressentir les effets, les spécialistes disent vingt et un jours, mais moi je trouve que déjà au bout de trois ou quatre jours la transformation débute. Quand vous en expérimenterez les premières merveilles, vous penserez à moi, et vous vous direz : *« Marc Fisher avait raison ! C'est magique l'autosuggestion. Comment se fait-il que je ne l'aie pas essayée avant ? »*

Eh bien, je vous répondrai, bien banalement, que c'est parce que vous n'étiez pas prêt. Et aussi, et c'est plus sérieux et plus dramatique, parce que les forces en vous qui s'opposent à votre évolution vous en empêchaient, et vous en empêchent peut-être encore au moment où vous lisez ces lignes.

Oui, les forces mystérieuses et obscures qui se liguent pour conserver leur empire sur vous, pour vous retenir dans les sphères les moins élevées de votre être.

Et c'est pour ça que vous devez faire preuve de discernement, de courage spirituel, et c'est pour ça que vous devez trancher ce nœud gordien avec l'épée de votre clairvoyance, et vous dire :

«Non, c'est terminé, j'ai vu la source mystérieuse de mes problèmes, de mes déboires et de mes malheurs, et je vais aujourd'hui me libérer de ce joug, je vais enfin marcher dans la lumière, ma véritable nature. Et le Secret opérera enfin totalement pour moi dans tous les domaines de ma vie.»

Et répétant avec persévérance la formule, pour briser ce moi détestable en vous qui s'accroche et fait tout en son pouvoir pour survivre, – car c'est le but premier de tout être –, tout à coup vous allez vous dire: *«Je ne comprends plus rien. Que se passe-t-il? Dieu que les choses commencent à bien aller dans ma vie!»*

Ce sera comme une véritable renaissance. Comme l'aube chasse la nuit, votre soleil intérieur chassera mauvaise humeur, impatience, jalousie, amertume, peur, avarice: tout le lot des émotions négatives et inutiles qui sapent quotidiennement les énergies mentales que vous pourriez, que vous devriez consacrer à votre éblouissant succès!

Lorsque vous ferez votre inventaire magique, si vous avez commencé à répéter la formule «DE JOUR EN JOUR...», vous verrez une foule de choses que vous n'aviez jamais vues, et qui pourtant étaient là dans le vaste réservoir de votre inconscient.

Rappelez-vous: votre inconscient n'a rien oublié de ce que vous avez vécu depuis votre enfance, rien oublié de ce que vous avez vu, lu, entendu!

Les idées jailliront comme par enchantement.

Vous mettrez ensemble deux idées, deux connaissances qui dorment depuis longtemps en vous, et bingo, ce sera le gros lot: vous ferez 10 000 $, 50 000 $ en une heure, en un jour!

Ou encore 1 000 000 $ en un an ou même en quelques mois! Pourquoi vous limiter... mentalement!

Ou encore, vous vous rendrez compte que la femme idéale que vous cherchez depuis des années, vous l'avez *déjà*, c'est VOTRE femme! Seulement vous ne voyiez pas ses qualités, vous ne voyiez pas à quel point elle vous est utile, à quel point elle vous complète, à quel point elle vous aime et est belle!

Ou encore, parce que vous vous endormez en répétant votre nouvelle formule magique, vous vous rendrez compte, par un frileux petit matin de décembre, que vous ne serez peut-être pas obligée de passer à nouveau Noël seule (comme c'est déprimant alors que toutes vos copines et vos sœurs le passent en couple ou en famille!): l'homme idéal que vous cherchiez depuis des années, le véritable prince charmant, c'est ce timide collègue de travail qui vous manifeste discrètement, qui vous manifeste patiemment son intérêt, son amour sincère à la vérité depuis un an déjà, par des regards, de petites attentions, des encouragements, mais que vous avez ignoré, sans savoir pourquoi? Voilà que vous lui rendez un de ses sourires, voilà qu'un soir à dix-sept heures, vous vous plantez devant lui à la porte de son bureau et qu'il ose enfin vous inviter à prendre un verre, et que vous y allez, et qu'une nouvelle vie commence pour vous, une vie amoureuse qui vous comble tellement, si profondément, si complètement que vous ne l'aviez jamais imaginée possible! On dirait un conte de fées.

Normal, vous avez agité la baguette magique de l'autosuggestion, et le Secret opère enfin pour vous, vous ouvre enfin son coffre aux trésors amoureux!

Et ces grippes qui reviennent vous accabler à répétition, ce cancer terrible qui a frappé tant d'êtres chers autour de vous, peut-être votre sœur, peut-être votre mère, et qui, bien entendu vous terrorise, et que vous risquez d'attirer *précisément parce que vous y pensez constamment*, tout à coup vous en voyez le spectre s'éloigner de vous, comme un vulgaire insecte devant l'arrivée d'un véritable géant! Et votre santé resplendit.

Dans *La Vie des Maîtres* de Baird T. Spalding, cité en introduction du présent ouvrage, on peut lire (p. 32) : «La maladie est avant tout l'absence de santé (en hindou : Santi). Santi est la douce et joyeuse paix de l'esprit, reflétée dans le corps par la pensée. L'homme subit généralement la décrépitude sénile, expression qui cache son ignorance des causes, à savoir l'état pathologique de sa pensée et de son corps. Une attitude mentale appropriée permet d'éviter même les accidents... (Note de l'auteur : les accidents [d'auto, de cheval, les chutes diverses] sont souvent, si l'on en croit Freud, des tentatives inconscientes d'autopunition ou de suicide). On peut préserver le tonus du corps et acquérir les immunités naturelles contre toutes les maladies contagieuses, par exemple contre la peste ou la grippe.»

Et un peu plus loin l'auteur conclut d'une manière qui nous porte à reconsidérer toute notre notion de la médecine moderne, administrée à grands coups (de plus en plus coûteux!) de chirurgies et de médicaments : «Rappelez-vous que la jeunesse est la graine d'amour plantée par Dieu dans la forme divine de l'homme. En vérité, la jeunesse est la divinité dans l'homme, la vie spirituelle magnifique, la seule vivante, aimante, éternelle. La vieillesse est antispirituelle, laide, mortelle, irréelle. Les pensées de crainte, de douleur, et de chagrin engendrent la laideur appelée vieillesse. Les pensées de joie, d'amour et d'idéal engendrent la beauté appelée jeunesse.»

«Il faut, prescrit l'auteur, abandonner toute idée d'âge, d'anniversaire, de retraite car ce sont des conceptions erronées qui façonnent notre vie et nous conduisent à une mort prématurée, car l'homme devait vivre cent ans, cent vingt ans et même beaucoup plus vieux»!

Que de merveilles le levier d'or de l'auto-suggestion peut vous faire découvrir!

En somme si vous me suivez, si vous comprenez vraiment ce que je viens de vous dire, à quoi devriez-vous occuper le plus clair de votre temps?

À travailler?

NON.

À multiplier les efforts pour avoir du succès?

NON.

À réfléchir, à faire des plans, à demander conseil autour de vous ?

NON.

À vous transformer intérieurement grâce à l'autosuggestion !

Et ensuite (ou parallèlement bien entendu !) à utiliser constamment le Secret.

Parce qu'alors la Vie n'aura pour ainsi dire plus le choix avec vous : elle vous enverra de plus en plus constamment des circonstances qui s'accorderont avec votre nouvel état d'être. Alors – et alors seulement – le Secret donnera sa pleine mesure ! Imaginez votre gloire, imaginez votre joie, imaginez votre chance de connaître le succès sans rien faire parce que vous aurez compris que la chose la plus importante était d'élever votre esprit en vous servant du levier d'or de l'autosuggestion !

Certains êtres sublimes passent leur vie à pratiquer la forme la plus haute d'autosuggestion : ils vont de par le monde en répétant constamment le nom de Dieu !

En fait, ils ne font que ce que la plupart des maîtres spirituels recommandent comme clé ultime d'illumination : la répétition du nom de Dieu.

Ça porte à réfléchir, non?

Ces maîtres ont dédié leur vie à leur évolution spirituelle, ont passé des années à étudier les innombrables arcanes de l'esprit humain et arrivent presque tous à la même conclusion : «Répétez le nom de Dieu.»

Quand on a un sérieux problème de plomberie ou d'électricité, on appelle un spécialiste, un électricien ou un plombier.

Mais pour nos problèmes spirituels, on n'ose pas faire appel à un maître... spirituel!

Pourquoi?

Énigme.

Mais vous, soyez plus sagace, donnez la chance au coureur, donnez-VOUS la chance de voir ce qu'il y a de ce côté.

Répétez, par exemple : «APAISE-TOI ET SACHE QUE JE SUIS DIEU».

Vous pouvez aussi répéter le mantra ancien : «HAMSA», qui veut dire un peu la même chose : «Je suis Cela», Cela étant bien entendu Dieu.

Je sais que vous n'avez guère de temps de faire de la méditation, mais en ce cas, vous pouvez recourir à une pratique spirituelle que j'adore et qui s'appelle le *japa*.

Le *japa*, ce n'est pas le passé simple mal orthographié du verbe : japper, c'est la répétition silencieuse du nom de Dieu ou du mantra dans vos activités quotidiennes.

Vous lavez la vaisselle, et vous répétez silencieusement : « HAMSA ».

Vous êtes coincé dans un embouteillage, vous patientez dans une salle d'attente d'un hôpital, et vous répétez « Hamsa ».

Vous jardinez et vous répétez : « Hamsa ».

Et tout à coup, une révolution se produit en vous, la lanterne de l'éternité se met à briller. Vous n'êtes plus dans un hôpital en train d'attendre de vous faire soigner, vous êtes en train de faire du *japa*, de méditer, et il se trouve (et c'est tout à coup si secondaire !) que vous êtes dans un hôpital.

En fait tout ce qui jusque-là vous mettait en nage – ou en rage – les files d'attente, les délais, les embouteillages, les plaintes de vos clients, la lenteur exaspérante de vos collègues ou employés, les comptes qui s'accumulent, les chèques qui tardent à rentrer, vous accueillez tout ça différemment, avec indifférence, avec amusement presque. Voilà pour vous autant d'occasions de méditer, de faire calmement du *japa*, au lieu de... japper après tout le monde, après votre mari, votre femme, votre belle-mère, vos enfants, votre patron, après l'univers tout entier!

Mieux encore, comme disait Bouddha après l'illumination : «*Ce qui était à l'envers est remis à l'endroit*». Vous ne voyez plus la Vie de la même manière. Vous la voyez comme vous la voyiez lorsque vous étiez enfant, avant d'être contaminé par les habitudes des grands. Pas si grands que ça, si vous m'en croyez. Vous voyez le monde comme un vaste temple et votre vie tout simplement comme une longue (et de plus en plus agréable, et de plus en plus profonde) méditation.

Et tout ce que j'ai tenté bien maladroitement de vous enseigner et que vous avez compris de manière surtout intellectuelle, tout à coup vous le comprenez de l'intérieur, et la lanterne de l'éternité, que vous trouviez peut-être jusque-là simplement une jolie expression, tout à coup devient une réalité, un objet bien tangible, qui vous éclaire d'une lumière bien réelle, comme celle qui éclaire en ce moment les pages de ce livre.

Et soudain, vous vous mettez à sourire.

Comme la Joconde.

C'est le Secret, que le grand Léonard avait compris.

8

Le Secret et les mots

Le chapitre précédent, qui parle d'auto-suggestion, ne saurait être complet sans les pages qui suivent. Elles parlent en effet de la puissance extraordinaire des mots. Des centaines d'auteurs avant moi, les plus grands sages de tous les temps, les psychologues modernes à leur suite ont parlé du pouvoir formidable des mots. Et *Le Secret* en parle à presque toutes les pages.

Moi-même j'en ai parlé abondamment dans plusieurs de mes livres, à la vérité. Peut-être avec le plus d'intensité dans la série du

Millionnaire, où le vieux sage fait réaliser au jeune homme à quel point les mots que son beau-père lui a dits – ou plutôt criés par la tête ! – ont été déterminants dans ce qu'il croit être son destin. Lorsque votre père, votre beau-père, votre mère, votre supposé meilleur ami ou votre partenaire de vie vous répète que vous ne ferez rien de votre vie, que vous n'êtes pas très doué, que vous devriez cesser de rêver en couleur et, à la place, faire votre «boîte à lunch», comme vous faites tous les jours depuis des années, et partir pour l'usine ou le bureau ; vous avez beau les détester, vous leur «obéissez» la plupart du temps.

Surtout si vous n'êtes pas conscient de la puissance formidable des mots. Tel est le Secret dans sa forme maléfique, pourrait-on dire. Car tels des sorciers, telles des sorcières qui s'ignorent (mais pas toujours à la vérité, car certains sont vraiment des *magiciens noirs* et savent la puissance dévastatrice de leur verbe), les gens nous lancent constamment des *sorts*. Ils font en somme de l'hétérosuggestion négative.

Et nous-mêmes, entraînés dans cette nuée noire, nous faisons la même chose, nous nous jetons des sorts ou ce que les Américains appellent des *self-fulfilling prophecies*, des prophéties qui s'autoréalisent.

D'ailleurs aux gens si curieux, si anxieux de connaître leur avenir, on pourrait dire : regardez dans la boule de cristal des mots que vous vous répétez constamment, qui vous « trottent » dans l'esprit du matin au soir, souvent les mêmes depuis des années. Mieux encore, notez-les : vous tiendrez votre « horoscope », à peu de chose près et avec une précision hallucinante.

Les mots sont comme les innombrables mailles d'un vêtement que vous tissez petit à petit sans vous en rendre compte – du moins tant que vous ne connaissez pas le Secret. Ce vêtement bientôt est l'habit de vos circonstances, le manteau de votre destinée. Les mots attirent le plus sûrement à nous les choses, bonnes ou mauvaises – la richesse, la santé, le succès, mais aussi les dettes, la maladie, l'échec.

Les mots, oui, simplement les mots, que l'on se répète constamment depuis des années et qui finissent par former notre pensée.

Et qui finissent par former notre caractère.

Et qui finissent par former notre destinée.

C'est une chaîne invisible et pourtant infiniment puissante, autant que le vent que l'on ne voit pas, mais dont on voit les effets : pensez aux ouragans !

J'en ai eu sans doute le plus saisissant, et le plus troublant exemple l'autre jour.

Dans la cuisine familiale, ma fille Julia a laissé tomber par mégarde un pot de confitures, mais vide heureusement. Le pot s'est brisé en éclats. Sa mère, dans un mouvement d'humeur bien normal, l'a réprimandée de sa maladresse. Alors Julia a laissé échapper des mots terribles. Elle a dit : « C'est pas ma faute, c'est parce que je suis stupide, comme papa l'a dit ! »

En entendant ces mots, j'ai été surpris parce que je ne me souvenais pas lui avoir jamais dit ça, et surtout, j'ai été bouleversé. Je me suis dit : « *Ma fille de neuf ans trouve qu'elle est stupide, et c'est apparemment par ma faute* ».

Je n'en revenais pas, c'était comme si je venais de commettre un crime, et dans le fond, n'est-ce pas ce que j'avais fait ?

Quel avenir aurait ma fille si elle entrait dans la vie avec cette pensée affreuse et fausse qu'elle était idiote ?

Alors, je me suis rappelé que, quelques semaines plus tôt, je lui avais dit non pas qu'elle

ÉTAIT stupide, mais que ce qu'elle AVAIT FAIT était stupide.

Et j'ai compris alors que les enfants ne font guère de nuances.

(Si vous vivez en couple, vous penserez sans doute aussi que les adultes non plus ne font guère de nuances !)

Si on leur dit que ce qu'ils ont fait est stupide, ils en déduisent qu'ils SONT stupides : telle est leur manière de raisonner et on devrait en tenir compte chaque fois qu'on s'adresse à eux, et faire preuve d'une infinie prudence.

Encore sous le coup de l'émotion, je lui ai dit que je voulais avoir une conversation avec elle. Je lui ai dit que je ne voulais plus jamais qu'elle tienne semblable langage, que non seulement je ne pensais pas qu'elle était idiote, mais que je pensais qu'elle était intelligente.

« D'ailleurs, lui dis-je, c'est M-A-T-H-É-M-A-T-I-Q-U-E-M-E-N-T impossible que tu sois stupide ?

– Pourquoi ?

– Parce que… tu es la fille de Marc Fisher ! »

Alors, elle m'a regardé avec un sourire.

Était-ce de la fierté?

Ou du scepticisme.

Je ne le saurai sans doute jamais.

Mais il y a une chose que je sais: je vais tourner ma langue sept fois dans ma bouche avant de dire d'une des actions de ma fille que c'est stupide.

Parce que sinon, je serais un père stupide et méchant.

Pensez à votre propre vie. À la manière dont vous parlez aux autres.

À la manière, surtout, dont vous VOUS parlez.

Êtes-vous un bon «père» avec les autres et... avec vous-même?

Mais voilà un autre exemple de la puissance (mystérieuse) des mots...

Ayant guéri miraculeusement un enfant aux tibias affreusement déviés que nul médecin officiel n'avait pu soigner, maître Philippe, guérisseur de profession, dit à sa mère: «Maintenant, il faut payer.»

Et écoutez bien le mode de paiement singulier qu'exigea ce guérisseur: «Vous allez me promettre de ne *plus dire du mal de votre pro-chain*, pendant trois mois, jour pour jour!»

Quel paiement mystérieux, si on y pense! Il lui demande de renoncer à la médisance, pendant trois mois. Quel prix, quelle valeur mystérieuse possèdent les mots, aux yeux de ce thaumaturge!

À une mère dont il a guéri la petite fille atteinte de tuberculose intestinale, et qui est menacée de mourir, il dit : «Madame vous n'êtes pas assez riche pour nous payer...»

La dame, dont le mari est un riche négociant, ne comprend pas. Maître Philippe explique alors: «Seule la monnaie du Christ a cours ici! Nous allons donc devoir nous cotiser.»

Et il demande alors aux dizaines de malades qui font antichambre, comme tous les jours, dans le bureau de sa modeste demeure de Lyon : «Voulez-vous, mesdames et messieurs, *promettre de ne pas dire du mal de votre pro-chain hors de sa présence* pendant trois jours? Et vous, madame, pendant trois mois? Allons, je ramasse la monnaie du Christ!»

À nouveau, la même mystérieuse prescription, facile en apparence, mais d'une exécution combien difficile! Et VOUS combien de jours (ou d'heures peut-être…) POUVEZ-VOUS PAS-SER SANS DIRE DU MAL DE VOTRE PRO-CHAIN, surtout en son absence – de votre patron, de votre femme ou mari, de vos parents, du simple conducteur devant vous que vous trouvez lent ou erratique?

Je crois qu'on se laisse trop souvent prendre en *flagrant délit de médisance* et que c'est sûrement un des exercices spirituels des plus simples certes, mais en même temps des plus ardus de NE PAS médire. Pourquoi ne pas en faire l'essai dans votre vie et voir les résultats miraculeux, les spectaculaires guérisons que des «bons mots» ont sur VOUS et les autres?

En tout cas, je puis dire que j'ai observé que la plupart des gens qui ont du succès, qui sont heureux, trouvent *constamment* des qualités, des mérites aux gens qu'ils côtoient et ont souvent des BONS MOTS pour eux, comme ont dit.

À l'opposé ceux qui vont d'échecs en échecs, qui sont frustrés et malheureux ne trouvent JAMAIS de bonnes choses à dire de personne et le «livret» de leur vie est une suite constante de médisances et de plaintes!

Pensez aux magiciens.

Avant chaque tour, ils disent une *formule magique.*

Vous pouvez être le magicien de votre propre vie en ne vous nourrissant que de mots positifs, des mots de santé, de bonheur, de réussite, et en ne nourrissant les autres que de tels mots d'or : tel est le Secret.

9

Le Secret et la bienfaisance

« En servant les autres, je ne peux jamais en faire assez. Aucun travail ne peut me lasser. Les ducats et les pierres précieuses tombent comme de la neige, dans les mains de ceux qui servent les autres. »

Voilà ce que notait Léonard de Vinci dans ses célèbres *Carnets*.

Voilà le secret de la bienfaisance.

Plus tu donnes, plus tu reçois.

Le grand Henry Ford ne disait pas autre chose lorsqu'il confiait, dans son autobiographie :

«Je pris la ferme résolution de ne jamais me joindre à une compagnie dans laquelle la finance venait avant le travail (...). Mieux encore, que si on ne pouvait démarrer dans un domaine sans que ce soit pour l'intérêt du public, alors je ne démarrerais pas dans ce domaine. Car dans ma brève expérience, dans ce que j'ai vu autour de moi, j'ai trouvé la preuve qu'une affaire qui n'a pour but que de faire de l'argent ne valait pas la peine que je m'y investisse (...). D'ailleurs, ça ne me semblait pas la manière de faire de l'argent. Personne ne m'a encore prouvé le contraire. Car le véritable fondement des affaires est le *service*.»

Voilà la manière véritable d'appliquer le Secret.

Car l'appliquer pour des fins strictement égoïstes peut fonctionner, il est vrai, mais je crois sincèrement que l'argent gagné dans ces circonstances n'est pas de l'argent qui rend heureux.

Or, l'argent peut rendre heureux, lorsque la manière dont on l'a gagné a contribué à rendre d'autres personnes heureuses, en d'autres mots lorsque votre travail est un service...

Alors, les ducats et les pierres précieuses tombent dans vos mains comme de la neige!

S'il est vrai que plus je donne, plus je reçois, le corollaire est aussi vrai. Plus je vole, plus je ME vole, car ce que je vole à l'un aujourd'hui, même si je reste impuni au cours de toute ma vie, je le repaierai un jour ou l'autre.

On dit que l'argent n'a pas d'odeur.

Moi je crois au contraire que l'argent a une odeur bien précise, que la manière dont on le gagne déterminera la manière dont on en jouira, et même dont en jouiront nos héritiers.

Je crois que l'argent mal gagné, gagné malhonnêtement, n'entraîne à sa suite que le malheur, non seulement de celui qui l'a gagné, mais de ses proches, de ses descendants. La Vie a plusieurs manières de rattraper celui qui a gagné son argent malhonnêtement.

Alors, suivez ce précepte bouddhiste de trouver un moyen d'existence juste.

Faites preuve aussi de compassion comme l'enseignent également les bouddhistes.

Benjamin Franklin, le célèbre inventeur du paratonnerre, était également philosophe et avait une vue fort noble de la bienfaisance. Ainsi, il refusa un jour qu'un homme lui rembourse une dette, et lui suggéra plutôt ceci :

« Un jour ou l'autre, vous aurez peut-être l'occasion d'aider, de pareille somme, un étranger qui en aura un égal besoin. Faites-le. Par ce moyen, vous acquitterez l'obligation que vous croirez avoir contractée envers moi. Dites à votre obligé d'en faire autant à l'occasion. En poursuivant cette pratique, on peut faire beaucoup de bien avec peu d'argent. Rendons service à la ronde. Les hommes sont tous de la même famille. »

Rendons service à la ronde...

Quelle expression magnifique!

Ce principe ne vous rappelle-t-il pas celui qui anime le très beau film *Payez au suivant*?

Rendons service à la ronde...

Soyez généreux!

De votre argent bien sûr, à votre mesure.

Mais aussi, mais surtout de votre temps.

Coué a dit, non sans justesse et élégance : « L'altruiste trouve sans le chercher ce que l'égoïste cherche sans le trouver. »

Ma vieille mère répète souvent que chaque fois qu'elle donne un cadeau, elle en reçoit presque le jour même un autre, équivalent ou plus grand. C'est une autre manifestation de la loi de la compensation, un des volets les plus importants du Secret.

Quittée subitement par son mari après plus de trente ans de mariage, une amie de ma mère était si désespérée qu'elle songea au suicide.

Ma mère lui suggéra de faire du bénévolat auprès de jeunes enfants sans famille, ce qu'elle-même faisait depuis plusieurs années, même après avoir élevé ses quatre enfants.

Cette pratique transforma littéralement son amie éplorée.

Son malheur tout à coup lui paraissait bien banal.

Et puis quand on s'occupe de consoler les autres, on n'a plus le temps de se regarder le nombril, de gratter sans fin notre plaie.

Cette dame voyait toutes les semaines des êtres qui, tout comme elle, avaient été abandonnés, mais bien plus cruellement, parce qu'ils étaient des enfants sans défense...

Sans le savoir, elle avait appliqué le Secret. Et elle était devenue bouddhiste à sa manière. Au lieu d'être ravagée par le chagrin, elle était devenue un soleil qui apportait un peu de réconfort et de bonheur à ceux qui souffrent.

Sans le savoir, elle avait mis en marche la merveilleuse et si nécessaire roue de la compassion.

Ainsi le suggère la *fée de la bienfaisance* à ceux qu'elle frappe de sa baguette magique : « Chaque fois que tu peux aider, un ami, un parent, un parfait étranger, fais-le ! Car la personne que tu aides, c'est peut-être la première fois de son existence qu'on l'aide, et peut-être grâce à toi reprendra-t-elle confiance en elle-même, reprendra-t-elle confiance en l'humanité, en la Vie. »

En outre, petit cadeau inattendu de la Vie, cette femme rencontra dans son bénévolat l'homme qui allait devenir son deuxième mari et lui donner tout ce que son premier mari lui avait refusé.

On dit que jamais sur son lit de mort un homme ne regrette de ne pas avoir passé une journée de plus au bureau.

Eh bien de la même manière, jamais vous ne regretterez d'avoir fait du bien, car le bien que vous aurez fait est la seule chose que vous emporterez avec vous : le reste demeure derrière vous.

« Le chardonneret, dit encore Léonard dans ses *Carnets,* est un oiseau dont on prétend que s'il est amené en présence d'une personne malade, si la personne malade est condamnée à mourir, le volatile en détourne mystérieusement la tête et ne pose jamais plus les yeux sur elle. Mais si la personne malade doit survivre, l'oiseau ne la perd jamais de vue et l'aide à guérir.

« Il en est de même pour l'amour de la vertu. La vertu ne s'accommode pas des choses viles et basses, elle s'en détourne automatiquement. (…) La vertu prend refuge dans les cœurs purs. »

Tel est le Secret de la bienfaisance.

10

Le Secret
et l'insouciance

La Vie est un jeu.

Si vous vous prenez trop au sérieux, vous réussirez peut-être, mais vous réussirez surtout à développer un ulcère d'estomac ou une dépression nerveuse!

Et puis vous ennuierez vos amis, si vous ne les perdez pas carrément, trop occupé que vous êtes à votre si «importante» carrière.

Vous devez utiliser le Secret pour vous libérer, non pas pour vous aliéner.

Oui, gardez toujours à l'esprit que la vie est un jeu.

C'est aussi un voyage fascinant et vous devez profiter de chaque étape.

Ce que vous ne ferez pas si vous faites comme ces touristes un peu trop gourmands qui vont en Europe pour la première fois et voient (le mot est fort!) sept pays différents en... sept jours, et n'en rapportent que des photos qu'ils colleront dans un album qu'ils rangeront au fond d'un tiroir!

Restez détaché.

Restez libre, sinon, même avec des millions, même dans une maison magnifique, même dans une Rolls, vous êtes encore un esclave, un esclave riche, mais un esclave. Qui rêve de vivre dans une cage dorée?

Utilisez la loi de l'attraction pour atteindre vos buts, sur tous les plans, mais restez léger, ne vous laissez pas alourdir par vos objectifs, ne les laissez pas gâcher votre bonne humeur et la jouissance du moment présent.

Car si vous ne jouissez pas du moment présent, de quel moment allez-vous jouir? Le futur n'existe pas encore, et le passé n'existe plus : emplissez vos mains de présents!

Ne vous laissez pas submerger par vos problèmes, et encore moins par ceux des autres, et encore moins par ceux que vous aurez si vous vous mettez à penser que, peut-être un jour, les choses iront mal : à chaque jour suffit sa peine.

Lorsque vous traversez des difficultés, – et vous en traverserez comme tout le monde – essayez de garder une distance.

Pensez à la lanterne de l'éternité.

Et dites-vous : *«Au 21ᵉ siècle, le 1ᵉʳ avril 2008, je connais telle ou telle difficulté. J'expérimente ce que c'est de vivre un congédiement, ou un revers de fortune, ou d'être poursuivi par mes créanciers. C'est une expérience unique que j'ai attirée à moi, probablement inconsciemment, en appliquant mal le Secret, dont je dois vivre chaque instant, et tirer des leçons. Je suis celui qui expérimente cette situation en cette époque, en ce lieu, mais surtout, tout simplement : "JE SUIS".»*

Oui, le principe même de votre être n'est pas menacé par vos difficultés pas plus que le vaste océan n'est au fond troublé par les vagues qui agitent vainement sa surface.

Dites-vous, au plus fort de la tempête, lorsque tout semble s'effondrer autour de vous :

«Je reste détaché et serein (enfin le plus possible), même dans cette expérience difficile, que j'ai la chance de connaître, comme je connaîtrai plus tard le succès et la richesse, que je devrai également accueillir comme de simples expériences de mon âme en 2007, ou 2008 en tel pays.»

Je ne dis pas de vous moquer de vos problèmes, de faire comme si vous n'en aviez pas. Ce serait la politique de l'autruche.

Mais au lieu de vous y complaire (et de continuer de les attirer, de les entretenir par vos pensées), appliquez-vous à les régler avec diligence, énergie, détermination et optimisme. Pensez aux solutions. Pensez à la situation que vous souhaitez obtenir.

La vie est belle, oui…

Essayez d'atteindre et de conserver en permanence cet état d'esprit où vous pouvez non seulement dire, mais dire du fond du cœur: la vie est belle!

Et pour cela, devenez maître de vos pensées, de vos démons, c'est la clé ultime. Je sais, c'est plus facile à dire qu'à faire, mais après tout, vous avez toute la vie devant vous.

Et même plusieurs vies devant vous.

Alors hâtez-vous lentement!

Lorsque Jésus envoie les douze apôtres en mission, Il les envoie deux par deux, leur donne autorité sur les esprits impurs. Et Il leur donne cette instruction bien particulière: (Marc) «De ne rien prendre pour la route, sauf un bâton. Pas de pain, pas de sac, pas de monnaie dans la ceinture, mais pour chaussures, des sandales, et ne mettez pas deux tuniques.»

En somme, si vous lisez ce passage comme je le lis, il leur recommande de voyager léger.

«Pas de pain, pas de sac, pas de monnaie dans la ceinture, pour chaussures, des sandales, et ne mettez pas deux tuniques.»

Combien de gens à leurs débuts, avant de plonger, au contraire, veulent assurer leurs arrières, multiplient à l'infini les précautions, de manière si prudente, si excessive qu'à la fin, cette prudence devient procrastination, et ils renoncent au voyage?

Oui, par crainte de ne jamais partir parfaitement préparés, ils ne partent jamais, ou si tard que le soleil se couche déjà dans leur vie. Dommage, mais pas catastrophique, sans doute, ils seront prêts lorsque viendra leur prochaine vie, cette vie n'est pour eux qu'une vie préparatoire: ils naîtront préparés!

Évidemment, si on lit attentivement, (me voilà exégète sans même le vouloir mais, jeune, j'excellais dans cet exercice appelé « explication de texte », alors les bonnes habitudes ne meurent pas, il faut croire !) Jésus donne autorité à ses disciples sur les esprits impurs.

Du reste, si vous lisez – ou relisez – les Évangiles, vous serez étonnés de la place qu'y occupent les esprits impurs et les démons, et on n'a pas l'impression qu'il s'agit d'une figure de style, on a l'impression qu'ils ont une existence bien réelle.

Sans pitié, ou plutôt, thérapeute suprême, Jésus les chasse de plusieurs possédés, les condamne à habiter le corps d'un troupeau de porcs, qui se jettent dans la mer. Ces esprits impurs et démons occupent bien entendu une place plutôt limitée dans la psychologie moderne, et Freud a bien vite réglé le cas des possédés en les taxant de diverses déviances sexuelles ou en parlant d'hystérie ou de délire paranoïaque.

Mais peut-être les démons et les esprits impurs, que la science et la médecine moderne ont commodément relégués au rang de chimères bonnes pour les sorcières, ont-ils existé de tout temps, comme les maîtres invisibles et les anges auxquels tant de gens croient.

Oui, les démons existent peut-être encore de nos jours, et si vous n'y croyez pas, si vous ne vous méfiez pas d'eux et de leurs ravages, ils ont la partie belle, ils sont morts de rire, même s'ils ne meurent pas facilement.

N'est-ce pas leur existence qui expliquerait la criminalité, tous ces actes horribles qui défraient constamment la manchette, abuseurs d'enfants, violeurs, meurtriers en série, sans compter les horreurs de la guerre!

Combien de fois avez-vous entendu un assassin dire, après son horrible crime:

«Je ne savais plus ce que je faisais! Il me semblait que j'étais possédé!»

Et si c'était vrai?

Dans son *Journal*, Mère, la compagne spirituelle de Sri Aurobindo, raconte qu'un de ses amis médium a un jour assisté à l'exécution d'un criminel et a vu l'esprit mauvais qui l'habitait quitter son corps décapité et entrer fort commodément dans celui d'un homme, à la volonté faible, qui assistait innocemment à ce triste spectacle.

Oui, les démons (les mauvaises pensées, les mauvaises tendances) ne sont-ils pas nos pires ennemis?

Et par conséquent, l'autorité sur eux notre meilleure arme?

C'est en tout cas le véritable viatique des disciples, la seule chose que Jésus croit utile de leur donner.

Et Il leur recommande de ne pas s'embarrasser de souliers. Les souliers, c'est le confort bourgeois de celui qui reste sur place, qui n'ose pas partir à l'aventure la plus grande (l'aventure spirituelle!)

Les souliers, c'est la sécurité, c'est le poids des vieilles habitudes. C'est le poids de l'éducation, pas celle qu'on s'est donnée vaillamment, celle qu'on a reçue passivement et qui nous mine. Car un soulier forcément est plus lourd qu'une sandale, il est moins ailé, il reçoit moins la magique lumière du ciel!

Et n'emportez pas deux tuniques!

Donc, rien de superflu.

Pas de pain, pas de monnaie dans la ceinture.

On va tout trouver en chemin, une fois partis, car on a vu grâce à la merveilleuse boule de cristal du Secret, la belle moisson qui nous attend.

N'emportez que le nécessaire, qui n'est rien cependant, sans cette magique autorité sur les esprits impurs.

À vous qui voulez démarrer en affaires, qui voulez réussir pas juste *dans la vie*, mais *votre vie* aussi, qui voulez avoir la vie de couple dont vous avez toujours rêvée, une santé resplendissante, qui voulez être HEUREUX, si on veut se résumer, car c'est toujours le but ultime qui se cache derrière tous nos rêves, Jésus sans doute ne donnerait pas un autre conseil. Il vous recommanderait de voyager léger.

Non, n'emportez pas deux tuniques, tout simplement parce qu'on ne peut en porter qu'une seule à la fois, et que Jésus vit – et veut que ceux qui le suivent vivent! – totalement dans le présent.

Car que serait une deuxième tunique dans votre malle, sinon celle du doute, de la peur, une peur parfois si forte qu'elle l'emporte sur votre conviction vacillante du succès, et la fin triomphe si bien que l'on se dit : «*Je le savais! Je le savais!*»

Des millions de gens l'emportent, cette deuxième tunique, l'emportent et la portent, sous l'autre, celle, apparente, de l'audace, et dès que cette dernière est effilochée par un petit contretemps, par un obstacle, par un échec, tout de suite on voit apparaître la tunique du doute, la tunique de la peur qui leur colle à la peau, et sous laquelle l'autre disparaît presque aussitôt!

Et alors, ils se plaignent que le Secret n'a pas marché pour eux.

Oui, voyagez léger, avancez avec confiance et constamment soyez aux aguets, exercez votre autorité sur les esprits impurs et les démons, les vôtres et ceux qui tenteront de grimacer en vain sur votre chemin.

Pensez constamment, gardez votre esprit fixé sur CE QUE VOUS VOULEZ, ignorez ce que vous ne VOULEZ PAS : VOS PEURS, VOS ANGOISSES, VOS ÉCHECS PASSÉS.

Vivez dans le présent!

C'est ce que recommande Jésus, qui vivait constamment dans l'Amour, et par conséquent vivait constamment dans le présent.

Même si, chose étonnante, Il connaissait l'avenir, comme le plus grand des prophètes!

Car non seulement, Il annonce souvent à ses disciples sa mort, et celui qui le trahira, non seulement Il prédit la triple trahison de

Pierre, mais Il prédit des événements plus simples, lorsque, par exemple, en vue de la préparation de la pâque, Il donne des instructions précises à ses disciples. Ces derniers lui demandent en effet: «Où veux-tu que nous allions faire les préparatifs pour que tu manges la pâque?»

Il leur dit, s'adressant particulièrement à deux apôtres: «Allez à la ville, un homme viendra à votre rencontre, portant une cruche d'eau. Suivez-le, et là où il entrera, dites au propriétaire: "Le maître demande où est la salle où manger la pâque avec ses disciples?" Et le propriétaire vous montrera la pièce du haut, vaste, toute prête: c'est là que vous ferez les préparatifs pour nous.»

Vous aussi partez résolument à la recherche de la pièce d'en haut, vaste et toute prête. Pas celle du bas, pas le sous-sol où croupissent vos peurs, vos frustrations et vos doutes!

Non, la pièce du haut, vaste, toute prête...

Celle dans laquelle nous permettra d'entrer magiquement le Secret pour célébrer votre renaissance!

11

Le Secret de TOUS les rêves

$\mathcal{D}$ans son autobiographie, Henry Ford qui, parti de rien, sans argent, sans diplôme, bâtit un véritable empire dans l'automobile, écrit ceci: «Je refuse de reconnaître qu'il y a des choses impossibles. Je n'ai jamais rencontré un homme sur cette terre qui soit une autorité assez grande pour pouvoir dire ce qui est ou n'est pas possible. Le malheur est que si un homme qui se prétend un expert dans son domaine, dit que telle ou telle chose ne peut pas se faire, alors une horde de suiveurs sans cervelle entonnent le refrain: «Ça ne se fait pas!»

Vous, ne vous êtes-vous pas laissé arrêter trop vite, dans vos projets, dans vos rêves, en vous disant ou en vous vous laissant dire que... ce n'était pas possible?

Dans son étonnant ouvrage *Ultimes paroles*, Baird T. Spalding va dans le même sens que Ford, et même encore plus loin que le génial inventeur. Il écrit (p. 23) : «Le tableau de Vinci figurait le portrait de Jésus tel qu'il l'avait vu. (...) Nous avons lu les lettres de Vinci (propriété du Louvre, à Paris) qui prouvent qu'il a vu le Christ dans le visage du modèle qu'il avait choisi pour en faire le portrait. Il dit que l'homme était jeune, fiancé, et qu'il y avait une lumière magnifique dans ses yeux (...).

«Deux ans plus tard, l'artiste décida de peindre un portrait de Judas. Il passa deux ans à chercher quelqu'un d'aspect assez méprisable pour représenter le traître. Enfin, alors qu'un matin il marchait dans le quartier apache de Paris, il aperçut dans un recoin l'homme qu'il cherchait, les cheveux épars, les vêtements en lambeaux, prostré et chaviré. Il alla vers lui et lui dit: "J'ai peint un portrait du Christ et maintenant je cherche un homme acceptant de poser pour le portrait de Judas, le traître." L'homme leva les yeux et dit: "Monsieur, c'est moi qui ai posé chez vous pour le Christ!"»

Mais ce passage n'est que le préambule nécessaire au point que je veux démontrer. Spalding poursuit: «De Vinci continue à le décrire dans ses lettres, disant que si cet homme n'avait jamais trahi le Christ, il ne l'aurait jamais trouvé dans un recoin du quartier de truands de Paris. Il va jusqu'à dire que... *si nous employons les termes "JE NE PEUX PAS", nous trahissons le Christ intérieur!»*

12

Le Secret des secrets

𝒟ans *Ultimes paroles*, Spalding confie encore
(p. 98) : « Je me trouvais en Espagne, près de
l'une des plus grandes mines de cuivre du
monde, quand une famille russe arriva avec
une petite fille de onze ans dont le père s'était
fait embaucher à la mine. Ils me dirent que
leur enfant possédait ce qu'on appelle la "touche
de guérison". Par exemple, elle posait sa main
sur une personne et lui disait : "Je vous aime,
et je vous aime même tellement que votre maladie s'en est allée et j'ai rempli d'amour l'espace
qu'elle occupait." Et nous avons constaté que
c'était exact.

Dans le cas d'une difformité, la personne devenait absolument parfaite. J'ai vu un malade qui avait presque atteint les derniers stades de l'épilepsie. La fillette posa sa main sur lui et dit : «Ton corps entier est plein d'amour et je ne vois que la Lumière.» En moins de trois minutes, la maladie avait complètement disparu.»

Voilà le Secret des secrets : c'est l'amour qui peut tout.

Celui qui écrivit sans doute la page la plus belle sur l'Amour et ses vertus, c'est saint Paul qui persécuta avec zèle Jésus jusqu'à ce qu'il en fit la rencontre éblouissante sur le chemin de Damas. Cédons-lui modestement la plume :

«Même si je parviens à parler dans la langue des hommes et des anges, s'il me manque l'amour, je ne suis qu'un gong bruyant, une cymbale retentissante. Et si j'ai des pouvoirs prophétiques, et que je comprends tous les mystères et que j'ai toutes les connaissances, et si j'ai une foi si puissante que je peux soulever les montagnes, mais qu'en même temps il me manque l'amour, je ne suis rien. L'amour est patience, l'amour est service, il ne jalouse pas, il ne se gonfle pas d'orgueil, il n'est ni arrogant ni brutal. L'amour ne cherche pas à prouver qu'il a raison. Il n'est ni colérique ni vindicatif. Il ne se réjouit pas du malheur des autres, mais se réjouit de leur bonheur. L'amour porte toute chose, croit en toute chose, espère en toute chose, supporte toute chose. L'amour ne passera jamais.»

Tel est le Secret des secrets.

Telle est aussi la manière dont on doit utiliser le Secret.

Léonard de Vinci ne remit jamais à Giocondo le portrait de sa femme, Mona Lisa, qu'il lui avait commandé.

Il le garda avec lui jusqu'à sa mort, parce que, prétendent de nombreux spécialistes, son sourire mystérieux lui rappelait celui de sa mère. (Il est touchant de penser que ce grand génie universel conservait pour sa mère le tendre sentiment du plus simple des mortels.)

Que le Secret soit votre Joconde.

Ne vous en séparez jamais. C'est votre bien le plus précieux, votre talisman, votre Mona Lisa.

Gardez-le avec vous jusqu'à votre mort.

Vous sourirez toute votre vie.

Avis aux lecteurs

Si vous avez des histoires de Secret à partager avec moi et mes autres lecteurs, n'hésitez pas à me les communiquer à :

fisher_globe@hotmail.com

Pour entrer en contact avec Marc Fisher, auteur et conférencier :

fisher_globe@hotmail.com